Llygad-dyst

Y RHYFEL BYD CYNTAF

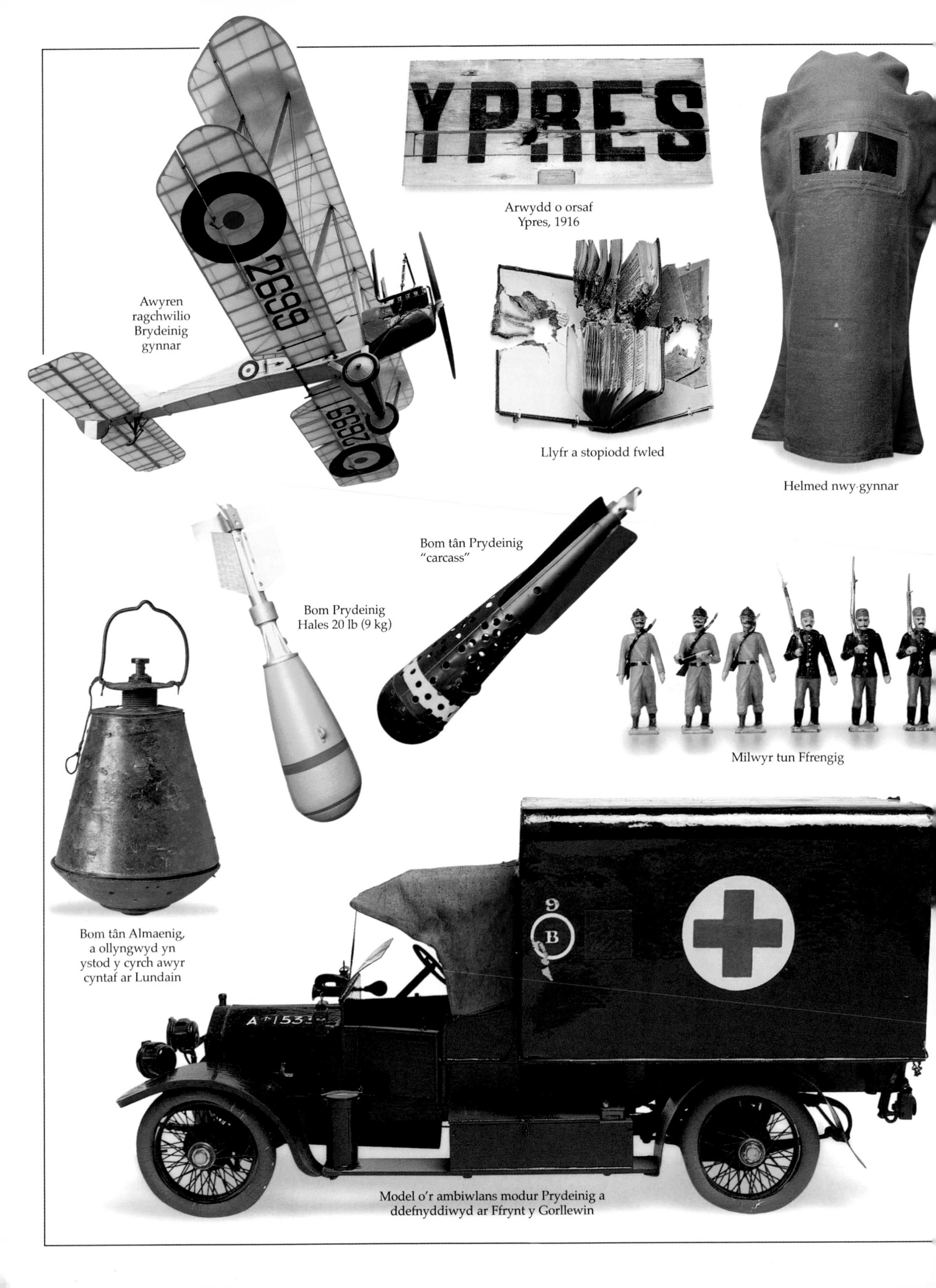

Awyren ragchwilio Brydeinig gynnar

Arwydd o orsaf Ypres, 1916

Llyfr a stopiodd fwled

Helmed nwy gynnar

Bom tân Prydeinig "carcass"

Bom Prydeinig Hales 20 lb (9 kg)

Milwyr tun Ffrengig

Bom tân Almaenig, a ollyngwyd yn ystod y cyrch awyr cyntaf ar Lundain

Model o'r ambiwlans modur Prydeinig a ddefnyddiwyd ar Ffrynt y Gorllewin

Croes Haearn
Prwsia

Llygad-dyst

Y RHYFEL BYD CYNTAF

Distinguished Service Cross
UDA

Ysgrifennwyd gan
SIMON ADAMS

Ffotograffwyd gan
ANDY CRAWFORD

Addasiad
SIÂN LEWIS

Gwn peiriant Prydeinig
Maxim Mark 3

Model bach o Herbert Asquith, Prif Weinidog Prydain o 1908 i 1916

Model bach o'r Archddug Nicolas, pencadlywydd byddinoedd Rwsia ar ddechrau'r rhyfel

RILY

GYDA CHYDWEITHREDIAD
AMGUEDDFA RYFEL YR YMERODRAETH
(THE IMPERIAL WAR MUSEUM)

Cwmpawd swyddog Prydeinig

Helmed ddur Almaenig a addaswyd ar gyfer y teleffon

Croix de Guerre, a gyflwynir i ddewrion Ffrainc

Golygydd prosiect Patricia Moss
Golygyddion celf Julia Harris, Rebecca Painter
Uwch-olygydd Monica Byles
Uwch-olygyddion celf Jane Tetzlaff, Clare Shedden
Cyhoeddwr categori Jayne Parsons
Rheolwr-olygydd celf Jacquie Gulliver
Uwch-reolwr cynhyrchu Kate Oliver
Ymchwilydd lluniau Sean Hunter
Dylunwyr DTP Justine Eaton, Matthew Ibbotson

Yr argraffiad hwn:
Golygydd Sue Nicholson
Rheolwr-olygydd Camilla Hallinan
Rheolwr-olygydd celf Martin Wilson
Rheolwr cyhoeddi Sunita Gahir
Cyhoeddwr categori Andrea Pinnington
Golygyddion cynhyrchu Andy Hilliard, Laragh Kedwell, Hitesh Patel
Rheolwr cynhyrchu Georgina Hayworth
Dylunydd clawr Neal Cobourne
Golygydd clawr Rob Houston

Crëwyd yr Eyewitness ® Guide hwn gan Dorling Kindersley Limited ac Editions Gallimard

Cyhoeddwyd gyntaf yn Saesneg ym Mhrydain yn 2001 o dan y teitl *Eyewitness World War I*
Cyhoeddwyd yr argraffiad diwygiedig hwn yn 2007 gan Dorling Kindersley Limited, 80 Strand, London WC2R 0RL

Cyhoeddwyd gyntaf yn Gymraeg gan Rily Cyf, Blwch Post 20, Hengoed CF82 7YR.

Addasiad Cymraeg gan Siân Lewis

ISBN 978-1-84967-207-8

Argraffwyd yn China

Ariennir yn rhannol gan Lywodraeth Cymru fel rhan o'i rhaglen gomisiynu adnoddau addysgu a dysgu Cymraeg a dwyieithog

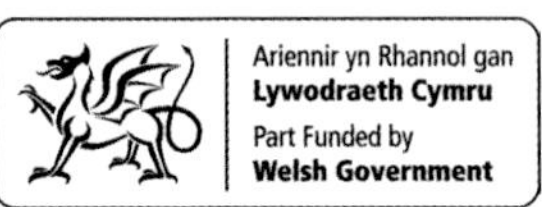

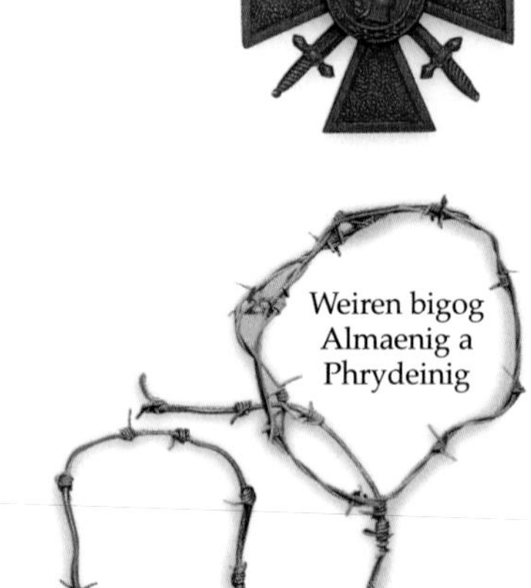

Weiren bigog Almaenig a Phrydeinig

Helmed ddur Brydeinig â miswrn

Reifflau ffug a ddefnyddid gan recriwtiaid i'r fyddin Brydeinig, 1914-15

Grenâd

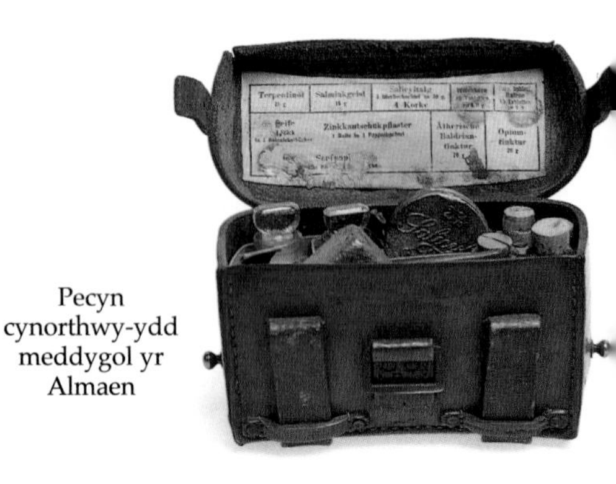

Pecyn cynorthwy-ydd meddygol yr Almaen

Cynnwys

Sieliau ffrwydro-ffyrnig

Ewrop yn rhannu

AR DDECHRAU'R 20FED ganrif, roedd gwledydd Ewrop yn mynd yn fwy a mwy gelyniaethus tuag at ei gilydd. Roedd Prydain, Ffrainc a'r Almaen yn cystadlu am fasnach a dylanwad ar draws y byd, ac roedd Awstria-Hwngari a Rwsia'n ceisio rheoli taleithiau Balcanaidd de-ddwyrain Ewrop. Gan fod cymaint o densiwn milwrol rhwng yr Almaen ac Awstria-Hwngari ar y naill ochr a Rwsia a Ffrainc ar y llall, fe ffurfiwyd cynghreiriau milwrol pwerus. Hefyd roedd Prydain a'r Almaen ar ras i adeiladu'r llongau '*Dreadnought*' mwyaf. Yn 1912-13, bu dau ryfel pwysig yn y Balcanau wrth i wahanol wledydd frwydro am eu siâr o'r tiroedd dan reolaeth Twrci. Erbyn 1914 roedd y sefyllfa wleidyddol yn Ewrop yn llawn tensiwn, ond ychydig a gredai fod rhyfel yn anochel.

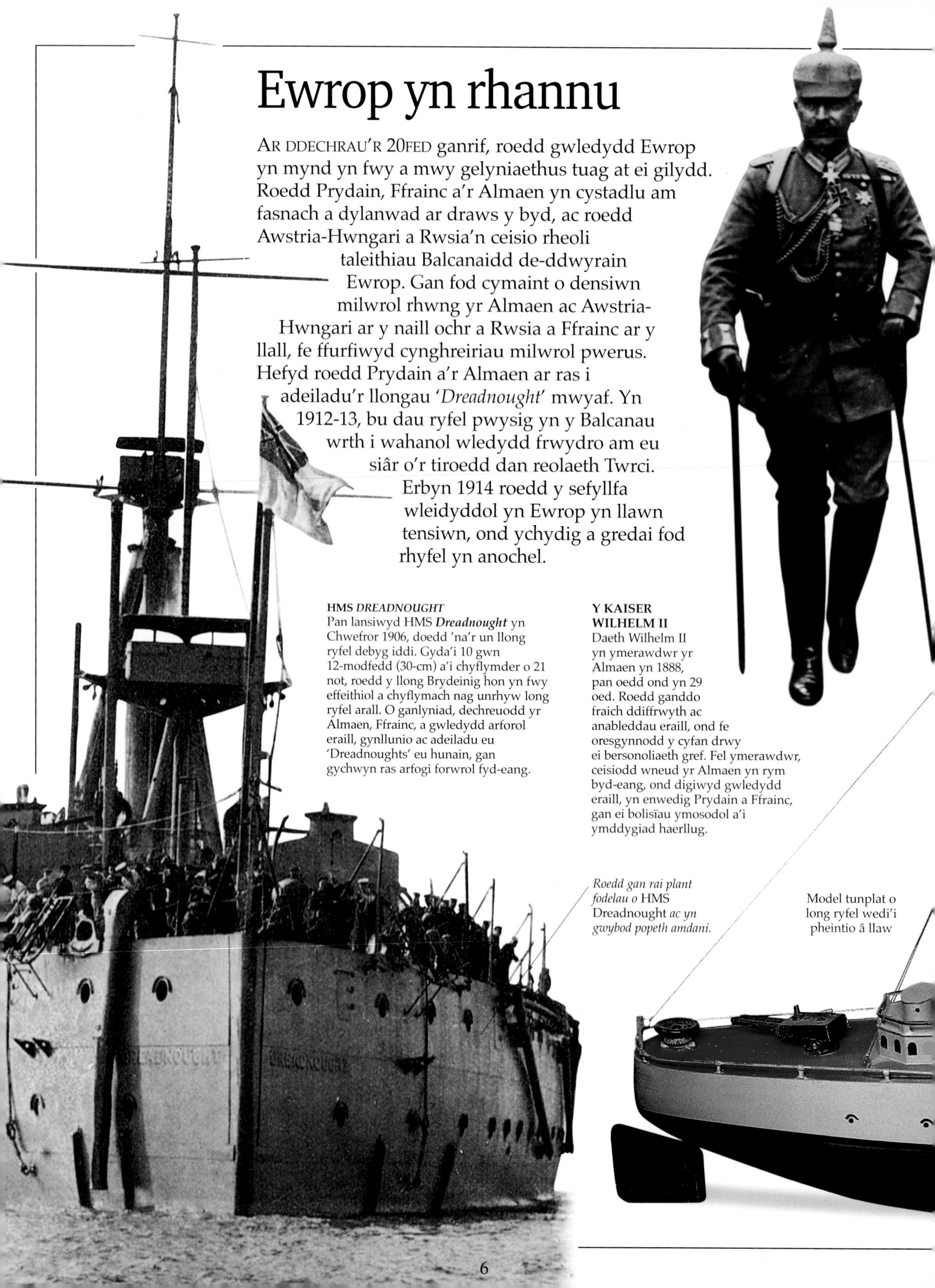

HMS *DREADNOUGHT*
Pan lansiwyd HMS ***Dreadnought*** yn Chwefror 1906, doedd 'na'r un llong ryfel debyg iddi. Gyda'i 10 gwn 12-modfedd (30-cm) a'i chyflymder o 21 not, roedd y llong Brydeinig hon yn fwy effeithiol a chyflymach nag unrhyw long ryfel arall. O ganlyniad, dechreuodd yr Almaen, Ffrainc, a gwledydd arforol eraill, gynllunio ac adeiladu eu 'Dreadnoughts' eu hunain, gan gychwyn ras arfogi forwrol fyd-eang.

Y KAISER WILHELM II
Daeth Wilhelm II yn ymerawdwr yr Almaen yn 1888, pan oedd ond yn 29 oed. Roedd ganddo fraich ddiffrwyth ac anableddau eraill, ond fe oresgynnodd y cyfan drwy ei bersonoliaeth gref. Fel ymerawdwr, ceisiodd wneud yr Almaen yn rym byd-eang, ond digiwyd gwledydd eraill, yn enwedig Prydain a Ffrainc, gan ei bolisïau ymosodol a'i ymddygiad haerllug.

Roedd gan rai plant fodelau o HMS Dreadnought *ac yn gwybod popeth amdani.*

Model tunplat o long ryfel wedi'i pheintio â llaw

FFRIND A GELYN
Yn 1882 arwyddodd yr Almaen, Awstria-Hwngari a'r Eidal y Cynghrair Triphlyg i amddiffyn eu hunain rhag ymosodiad. Dychrynodd Ffrainc a Rwsia, a ffurfio cynghrair yn 1894. Arwyddodd Prydain ententes (cytundebau) â Ffrainc yn 1904, a Rwsia yn 1907. Yn ystod y rhyfel, ymladdodd Serbia, Montenegro, Gwlad Belg, Romania, Portiwgal, a Groeg ar ochr y Cynghreiriaid. Ymladdodd Bwlgaria a Thwrci gyda'r Almaen ac Awstria-Hwngari – y Pwerau Canolog. Ymunodd yr Eidal â'r Cynghreiriaid yn 1915.

MATER TEULUOL?
Er bod George V a'r Tsar Nicholas II yn edrych yn debyg, doedden nhw ddim yn perthyn yn uniongyrchol. Serch hynny, roedd Alexandra, gwraig Nicholas, yn gyfnither i George, a Wilhelm, ymerawdwr yr Almaen, yn gefnder.

Nicholas II, Tsar Rwsia

George V, Brenin Prydain

LLYNGES YR ALMAEN
Yn 1898 dechreuodd yr Almaen adeiladu llongau fyddai'n gallu cystadlu â'r Llynges Frenhinol Brydeinig. Tra oedd llyngeswyr yr Almaen yn llywio'r llongau newydd hyn drwy Foroedd y Baltig a'r Gogledd, roedd plant y wlad yn chwarae â llongau tunplat yn y bath.

Y PWERDY
Cwmni Arfau Alfred Krupp oedd piau'r ffatri hon yn nyffryn y Ruhr yng ngorllewin yr Almaen. Y teulu Krupp oedd cyflenwyr arfau mwya'r byd. Gwlad amaethyddol oedd yr Almaen, yn bennaf, pan ddaeth yn wlad unedig yn 1871. Yn ystod y 30 mlynedd nesaf, sefydlwyd diwydiannau haearn, glo, dur, peirianwaith ac adeiladu llongau, a daeth yr Almaen yn wlad ddiwydiannol nerthol, y drydedd o ran pwysigrwydd ar ôl UDA a Phrydain.

Yr ergyd farwol

Y LLOFRUDDION
Gavrilo Princip, ar y dde, daniodd yr ergyd farwol. Roedd yn aelod o derfysgwyr y Llaw Ddu, a gredai y dylai Bosnia fod yn rhan o Serbia.

AR 28 MEHEFIN 1914, cafodd etifedd gorsedd Awstria-Hwngari, yr Archddug Franz Ferdinand, ei lofruddio yn Sarajevo, Bosnia. Ers 1908 roedd Bosnia'n rhan o Awstria-Hwngari, ond roedd ei chymydog, Serbia, yn ei hawlio. Credai Awstria-Hwngari mai ar Serbia oedd y bai am y llofruddiaeth, ac ar Orffennaf 28 fe gyhoeddodd ryfel. O fewn dwy flynedd roedd y trydydd rhyfel hwn yn y Balcanau wedi ymledu dros Ewrop. Roedd Rwsia'n cefnogi Serbia, yr Almaen yn cefnogi Awstria-Hwngari, a Ffrainc yn cefnogi Rwsia. Ar 4 Awst, wrth anelu am Ffrainc, fe ymosododd yr Almaen ar Wlad Belg niwtral. Bwriad yr Almaen oedd concro Ffrainc, cyn troi at Rwsia, i osgoi gorfod rhyfela ar ddau ffrynt. Ond roedd Prydain wedi addo amddiffyn hawl Belg i fod yn niwtral, ac fe gyhoeddodd ryfel yn erbyn yr Almaen. Roedd y Rhyfel Mawr wedi dechrau.

I'R GAD!
Yn ystod Gorffennaf 1914, gwelwyd posteri milwrol ledled Ewrop yn hysbysu'r bobl fod eu gwlad yn ymfyddino (paratoi ar gyfer rhyfel), ac yn gorchymyn i aelodau'r lluoedd parhaol ac wrth gefn ymgynnull.

BYDDIN AWSTRIA-HWNGARI
Roedd gan ymerodraeth Awstria-Hwngari dair byddin – Awstriaidd, Hwngaraidd a'r 'Fyddin Gyffredin'. Siaredid deg brif iaith! Yr iaith swyddogol oedd Almaeneg, ond roedd rhaid i'r swyddogion ddysgu iaith eu milwyr, gan achosi problemau cyfathrebu. Roedd strwythur cymhleth y fyddin yn adlewyrchu Awstria-Hwngari ei hun, a oedd yn ddwy deyrnas dan lywodraeth un brenin.

YR ALMAEN YN DATHLU
Paratôdd yr Almaen ei byddin ar 1 Awst, a chyhoeddi rhyfel yn erbyn Rwsia y noson honno, ac yn erbyn Ffrainc ar 3 Awst. Roedd mwyafrif Almaenwyr y dinasoedd yn frwd o blaid rhyfel a brysiodd llawer o sifiliaid i ymuno â'r fyddin i gefnogi'r Kaiser a'u gwlad. Roedd Almaenwyr cefn gwlad yn llai brwd.

Reiter (milwr) Awstrio-Hwngaraidd o'r 8fed Gatrawd Marchogluwyr (ffonwaywyr)

UN DIWRNOD YN SARAJEVO
Roedd y chwe llofrudd – pump o Serbia ac un Mwslim o Bosnia – yn aros am yr Archddug Ferdinand wrth iddo deithio i dŷ rhaglaw Awstria yn Sarajevo. Taflodd un fom at ei gar, ond fe sbonciodd a ffrwydro o dan y car nesaf, gan anafu dau swyddog o'r fyddin. Aeth yr Archddug a'i wraig i'r ysbyty i ymweld â nhw 45 munud yn ddiweddarach. Pan gymerodd eu car dro anghywir, camodd Gavrilo Princip o'r dorf a saethu'r ddau. Bu farw gwraig Ferdinand yn syth, a'r Archddug ymhen 10 munud.

28 Mehefin Llofruddio'r Archddug Franz Ferdinand yn Sarajevo
5 Gorffennaf Yr Almaen yn cefnogi ei chynghrair, Awstria-Hwngari, yn erbyn Serbia
23 Gorffennaf Awstria'n cynnig wltimatwm llym i Serbia, a fyddai'n tanseilio'i hannibyniaeth
25 Gorffennaf Serbia'n derbyn y mwyafrif o ofynion Awstria-Hwngari, ond yn ymfyddino, rhag ofn
28 Gorffennaf Er bod Serbia'n barod i gymodi, Awstria-Hwngari'n cyhoeddi rhyfel
30 Gorffennaf Rwsia'n ymfyddino i gefnogi ei chynghrair, Serbia.
31 Gorffennaf Yr Almaen yn mynnu bod Rwsia'n rhoi'r gorau i ymfyddino

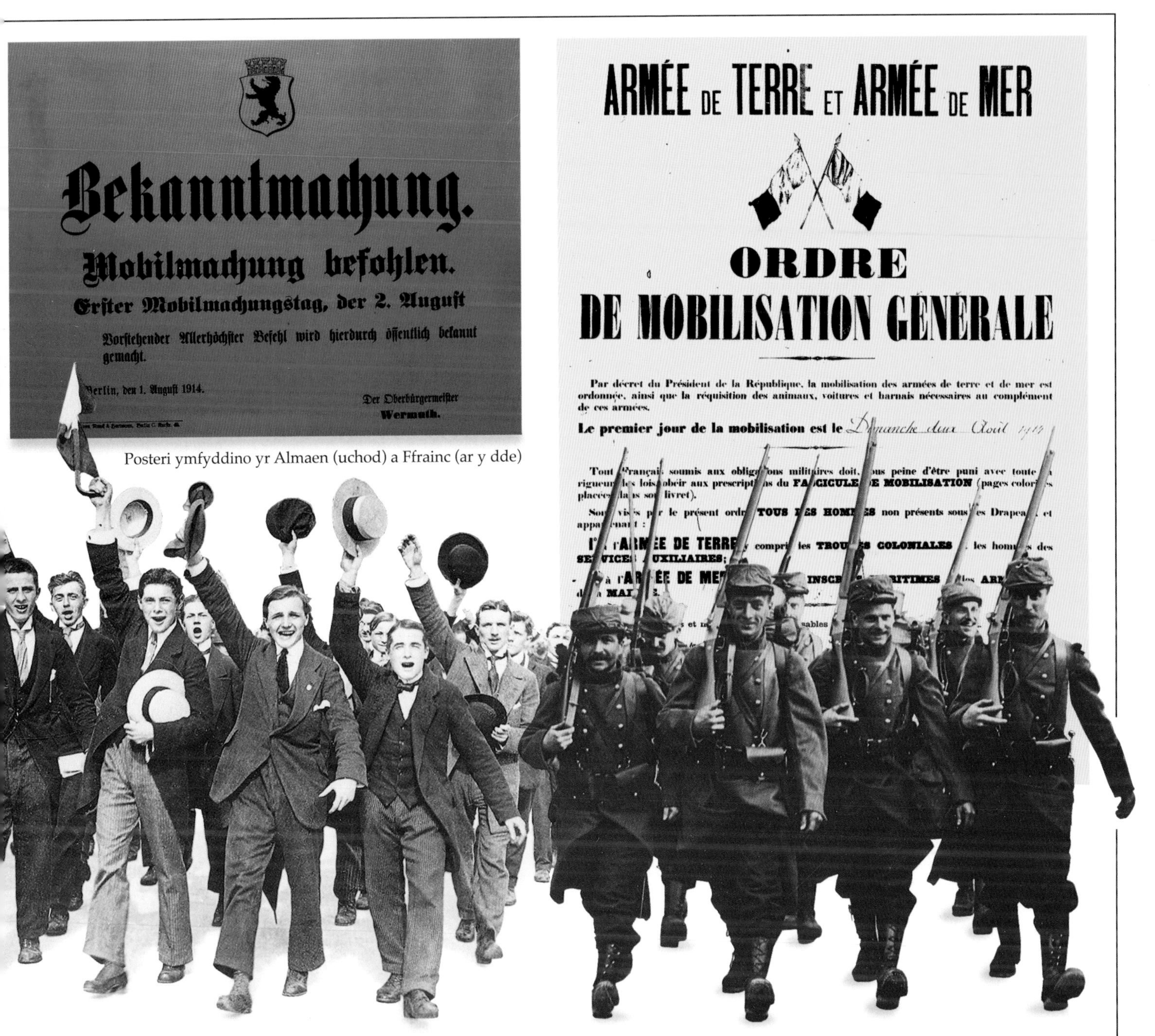

Posteri ymfyddino yr Almaen (uchod) a Ffrainc (ar y dde)

VIVE LA FRANCE
Ymfyddinodd Ffrainc ar 1 Awst. I lawer o Ffrancwyr, roedd y rhyfel yn gyfle i ddial ar yr Almaen am ei buddugoliaeth dros Ffrainc yn 1870-71 ac am gipio tiroedd Alsace-Lorraine o ganlyniad.

BANT Â NI!
"Trip bach i Baris" a "Wela i di ar y Boulevard" – dyna'r sloganau Almaeneg ar y trên. Disgwyliai'r Almaenwyr gyrraedd Paris mewn dim o dro. Roedd sloganau tebyg am Berlin ar drenau Ffrainc oedd yn anelu tua'r dwyrain.

"Mae'r lampau'n diffodd dros Ewrop gyfan"

SYR EDWARD GREY
YSGRIFENNYDD TRAMOR PRYDAIN, 1914

1 Awst Yr Almaen yn cyhoeddi rhyfel yn erbyn Rwsia; Ffrainc yn ymfyddino o blaid Rwsia; yr Almaen yn arwyddo cytundeb gyda Thwrci Otomanaidd.
2 Awst Yr Almaen yn goresgyn Luxembourg. Yr Almaen yn mynnu'r hawl i fynd drwy Wlad Belg. Y Belgiaid yn gwrthod
3 Awst Yr Almaen yn cyhoeddi rhyfel yn erbyn Ffrainc
4 Awst Yr Almaen yn goresgyn Gwlad Belg ar ei ffordd i Ffrainc; Prydain yn ymuno â'r rhyfel i warchod niwtraliaeth Gwlad Belg
6 Awst Awstria-Hwngari'n cyhoeddi rhyfel yn erbyn Rwsia
12 Awst Ffrainc a Phrydain yn cyhoeddi rhyfel yn erbyn Awstria-Hwngari

Rhyfel yn y gorllewin

ANRHEG NADOLIG
Anfonodd y *London Territorial Association* bwdin Nadolig i bob un o'u milwyr yn 1914. Derbyniodd milwyr eraill anrhegion dan enw'r Dywysoges Mary, merch y Brenin George V.

ERS YR 1890AU, ofnai'r Almaen y byddai raid iddi ryfela ar ddau ffrynt – yn erbyn Rwsia yn y dwyrain ac yn erbyn Ffrainc, cynghrair Rwsia ers 1894, yn y gorllewin. Gwyddai'r Almaen nad oedd fawr o obaith ennill y fath ryfel. Erbyn 1905, roedd pennaeth y fyddin Almaenig, y Pencadlywydd Graf Alfred von Schlieffen, wedi paratoi cynllun beiddgar i drechu Ffrainc yn sydyn, ac yna canolbwyntio holl nerth ei fyddin ar Rwsia. Er mwyn i'r cynllun weithio, roedd rhaid i fyddin yr Almaen fynd drwy Wlad Belg niwtral. Yn Awst 1914, rhoddwyd y cynllun ar waith. Croesodd milwyr yr Almaen ffin Gwlad Belg ar 4 Awst, ac erbyn diwedd y mis, fe oresgynnon nhw ogledd Ffrainc. Y bwriad, yn ôl Cynllun Schlieffen, oedd i'r fyddin symud heibio gogledd a gorllewin Paris, ond fe benderfynodd y cadlywydd Almaenig, Y Cadfridog Moltke, newid mymryn ar y cynllun a symud i'r dwyrain. Fel canlyniad roedd ei asgell dde yn agored i ymosodiad gan fyddinoedd Ffrainc a Phrydain. Ym Mrwydr y Marne ar 5 Medi, fe ataliwyd yr Almaenwyr a'u gwthio'n ôl. Erbyn Nadolig 1914 roedd y ddwy ochr ar stop llwyr ar hyd llinell oedd yn ymestyn o arfordir Gwlad Belg yn y gogledd hyd at ffin y Swistir yn y de.

AR FFO
Roedd byddin Gwlad Belg yn rhy fach a dibrofiad i wrthsefyll y fyddin Almaenig. Dyma'i milwyr, a chŵn yn llusgo'r gynnau, yn cilio tuag Antwerp.

AR FAES Y GAD
Roedd Byddin Ymgyrchol Prydain (*British Expeditionary Force* – B.E.F.) wedi cyrraedd Ffrainc erbyn 22 Awst 1914. Ymysg ei hunig adran farchoglu, roedd aelodau'r *Royal Horse Artillery*. Milwyr o'r L Battery, daniodd y gwn cyflym 13-pwys Mark 1 hwn yn erbyn Pedwaredd Adran Farchoglu'r Almaen ym Mrwydr Néry ar 1 Medi. Llwyddwyd i atal ymosodiad yr Almaenwyr ar Ffrainc am un bore. Derbyniodd tri o'r gynwyr Groesau Victoria am eu dewrder.

CADOEDIAD Y NADOLIG
Ar Noswyl Nadolig 1914, canodd milwyr ar ddwy ochr Ffrynt y Gorllewin garolau i gyfarch ei gilydd. Drannoeth cafwyd cadoediad ar hyd dwy ran o dair o'r ffrynt. Stopiodd y saethu, a chynhaliwyd gwasanaethau eglwysig. Croesodd rhai o'r milwyr dir neb, gan siarad â'u gelynion a chyfnewid anrhegion syml o sigaréts ac ati. Gyferbyn â Choedwig Ploegsteert, i'r de o Ypres, Belg, chwaraewyd gêm bêl-droed rhwng aelodau o Gatrawd Sacsonaidd Frenhinol yr Almaen a'r Seaforth Highlanders o'r Alban. Yr Almaenwyr enillodd 3-2. Mewn rhai mannau fe barhaodd y cadoediad am yn agos i wythnos. Flwyddyn yn ddiweddarach, fodd bynnag, gorchmynnwyd y gwylwyr ar bob ochr i saethu unrhyw un fyddai'n meiddio gwneud y fath beth eto.

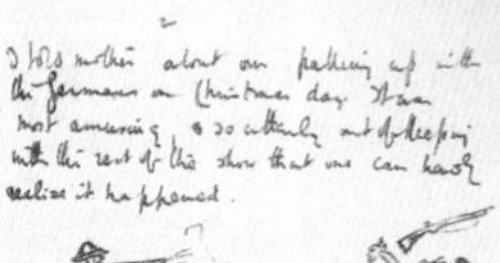

Milwr yn tanio ar y gelyn, a'r neges "Noswyl Nadolig. Lladda 'nhw!"

Milwyr Prydain a'r Almaen yn cyfarch ei gilydd ar Ddydd Nadolig

Ffos Almaenig

LLYGAD-DYST
Ysgrifennodd Capten E.R.P. Berryman o'r Ail Fataliwn 39fed Reifflwyr Garwhal lythyr at ei deulu yn disgrifio'r cadoediad. Dywedodd fod yr Almaenwyr wedi gosod coed Nadolig yn eu ffosydd. Mae'r cartŵn yn dangos pa mor hurt oedd y sefyllfa – tanio ar y gelyn un diwrnod a'u cyfarch fel ffrindiau drannoeth.

Rhaff wedi'i lapio am y mecanwaith adlam

Mae'n tanio sieliau 12.5-lb (5.6-kg) dros bellter o 5,395 m (5,900 llath)

YMLAEN I'R FFRYNT
Fe oresgynnodd yr Almaen ogledd Ffrainc yn gyflym iawn. Yn gynnar ym mis Medi roedd ei milwyr ar lannau'r afon Marne, dim ond tua 40 km (25 milltir) i'r dwyrain o Baris. Defnyddiodd y Cadfridog Gallieni, llywodraethwr Paris, 600 tacsi i gludo 6,000 o ddynion i'r llinell flaen i atgyfnerthu 6ed Byddin Ffrainc.

Dynion yn brwydro

NEWIDIWYD BYWYDAU miliynau o ddynion gan y rhyfel a gychwynnodd yn Ewrop yn Awst 1914. Yn eu mysg roedd milwyr parhaol, milwyr hŷn wrth gefn, recriwtiaid brwd a chonsgriptiaid anfodlon. Roedd rhai'n filwyr profiadol, ond doedd llawer o'r dynion erioed wedi gafael mewn gwn. Yn ogystal â'u milwyr Ewropeaidd, fe recriwtiodd Prydain a Ffrainc fyddinoedd o'u trefedigaethau tramor ac o diriogaethau Prydain. Roedd pob iwnifform yn wahanol o ran lliw a llun, er yn fuan iawn roedd pawb yn gwisgo caci (khaki), glas gwelw, a llwyd, yn hytrach na lliwiau llachar.

Ffrainc

Fflapiau i gadw'r clustiau'n gynnes

Siyrcyn o groen gafr neu ddafad

Cwdyn bwledi

Coesrwyn gwlân am crimogau

Reiffl Lee Enfield No. 1 MkIII

Esgidiau trwchus i warchod y tr

Milwr Prydeinig

YR ARCHDDUG NICOLAS
Ar ddechrau'r rhyfel, yr Archddug Nicolas, ewyrth y Tsar Nicholas II, oedd yn arwain byddin Rwsia. Yn Awst 1915, diswyddodd y Tsar ei ewyrth a chymryd yr awenau ei hun. Fel pencadlywydd, y Tsar oedd yn gyfrifol am strategaeth gyffredinol y rhyfel. Y cadfridogion oedd yn arwain y byddinoedd ac yn rheoli'r brwydrau. Dyna'r drefn ym mhob un o'r gwledydd.

MILWYR YR YMERODRAETH
Ym myddinoedd Prydain a Ffrainc roedd nifer fawr o recriwtiaid o'u tiroedd yn Affrica, Asia, y Môr Tawel a'r Caribî. Hefyd fe anfonodd tiriogaethau Prydain – Awstralia, Seland Newydd, Canada a De Affrica – eu byddinoedd eu hunain. Dyma'r tro cyntaf i lawer o'r milwyr hyn adael eu gwledydd. Yn y llun uchod, mae Annamitiaid (Indo-Chineaid) o Indo-China Ffrengig, yn gwasanaethu gyda'r fyddin Ffrengig yn Salonika, Groeg, yn 1916, ac yn gwisgo'u hiwnifform eu hunain.

Y FYDDIN BRYDEINIG
Ar ddechrau'r rhyfel roedd 247,432 o filwyr parhaol yn y fyddin Brydeinig, a 218,280 wrth gefn. Gwisgai'r milwyr iwnifform gaci, gan gynnwys tiwnig â llabedi sengl a choler oedd yn plygu, trywsus, coesrwymau neu socasau i amddiffyn y crimogau, ac esgidiau migwrn. Yn y gaeaf, fe gaent ddillad ychwanegol – siyrcyn, er enghraifft. Gwisgai llawer sgarffiau a balaclafas wedi'u gwau gartref.

CYNGHREIRIAID Y DWYRAIN
Yn nwyrain Ewrop wynebai'r Almaen fyddin enfawr Rwsia, yn ogystal â byddinoedd llai o Serbia a Montenegro. Yn y Dwyrain Pell, fe oresgynnwyd gwladfeydd yr Almaen yn China a'r Môr Tawel gan Japan. Dyma luniau o boster sy'n dangos gelynion yr Almaen.

Rwsia

CYNGHREIRIAID Y GORLLEWIN
Yng ngorllewin Ewrop, roedd Prydain, Ffrainc a Belg wedi uno yn erbyn yr Almaen. Roedd gan Brydain a Ffrainc fyddinoedd mawr, ond roedd byddin Belg yn fach a dibrofiad. Daw'r lluniau o boster Almaenig sy'n dangos eu gelynion.

Troedfilwyr Ffrainc yn 1918

BYDDIN FFRAINC
Roedd byddin Ffrainc yn un o'r mwyaf yn Ewrop. Gan gynnwys y milwyr wrth gefn a milwyr o'r trefedigaethau, roedd 3,680,000 o ddynion profiadol ym myddin Ffrainc ar ddechrau'r rhyfel.

Troedfilwr Ffrengig (llysenw: *le poilu*)

BYDDIN YR ALMAEN
Ar ddechrau'r rhyfel, roedd 840,000 o ddynion ym myddin yr Almaen – y fyddin gryfaf yn Ewrop. Roedd pob dyn o dan 45 oed wedi cael hyfforddiant milwrol ac yn perthyn i'r fyddin wrth gefn. Gan gynnwys y fyddin hon, roedd gan yr Almaen dros 4 miliwn o ddynion profiadol.

Milwr Almaenig

Ymuno â'r fyddin

AR DDECHRAU'R RHYFEL, roedd gan bob gwlad Ewropeaidd ond Prydain fyddin fawr o gonsgriptiaid yn barod i ymladd. Byddin fach o wirfoddolwyr oedd gan Brydain. Ar 6 Awst 1914, gofynnodd yr Arglwydd Kitchener, y Gweinidog Rhyfel, am 100,000 o recriwtiaid newydd. Brysiodd strydoedd a phentrefi cyfan o ddynion gwladgarol i ymuno. Disgwyliai'r mwyafrif fod adref erbyn Nadolig. Erbyn diwedd 1915, roedd 2,446,719 o ddynion wedi gwirfoddoli, ond roedd angen rhagor i gymryd lle'r rhai a gollwyd. Yn Ionawr 1916, dechreuwyd consgriptio pob dyn di-briod 18 – 41 oed.

ARWEINYDD RHYFEL
Cartŵn o Brif Weinidog Prydain, Herbert Asquith, fel "y Rhufeiniwr olaf". Fe'i disodlwyd gan David Lloyd George, Rhagfyr 1916.

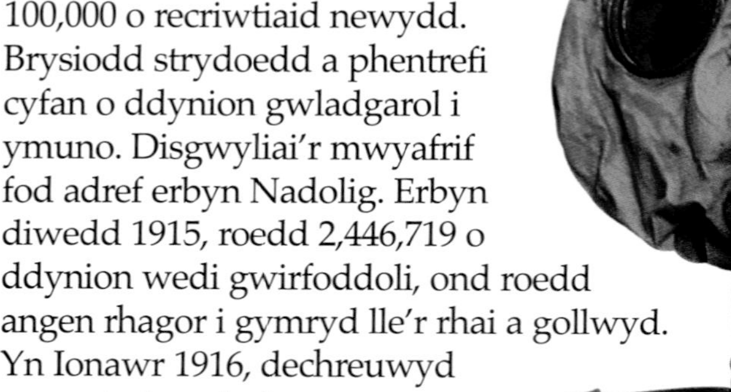

Mwgwd nwy ag anadlydd bocs bach

Sach yn cynnwys ffiltr yr anadlydd bocs bach

Cwdyn yn cynnwys tri chlip o bum bwled

Dwy set o bum cwdyn bwledi ar y wregys

Y PRAWF
Câi pob recriwt Prydeinig brawf meddygol i wneud yn siŵr ei fod yn abl i ymladd. Methodd llawer y prawf oherwydd llygaid gwael, afiechyd y frest, neu afiechyd yn gyffredinol. Gwrthodwyd eraill am eu bod o dan 19 oed, er i lawer ddweud celwydd am eu hoedran. Ar ôl pasio'r prawf, roedd y recriwt yn tyngu llw o ffyddlondeb i'r brenin ac yn cael ei dderbyn i'r fyddin.

CIWIO DROS FRENIN A GWLAD
Ar ddechrau'r rhyfel, roedd ciwiau mawr o flaen y swyddfeydd recriwtio dros y wlad. Byddai dynion o'r un ardal neu'r un diwydiant yn ffurfio un o fataliynau enwog y "Pals", er mwyn gallu ymladd gyda'i gilydd. Erbyn canol Medi, roedd hanner miliwn o ddynion wedi gwirfoddoli.

"MAE AR EICH GWLAD EICH ANGEN"
Llun Arglwydd Kitchener, Gweinidog Rhyfel Prydain, ar boster recriwtio. Erbyn i'r poster ymddangos ddiwedd Medi 1914, roedd mwyafrif y dynion oedd am wirfoddoli eisoes wedi gwneud.

Y PECYN SYLFAENOL
Cariai milwr Prydeinig ddigon o offer sylfaenol i'w alluogi i ymladd a goroesi yn y ffosydd. Yn ogystal â reiffl a bidog, cariai fwledi mewn cwdyn ar ei wregys, a theclyn cloddio i'w helpu i balu lloches fach. Erbyn 1917, cariai'r milwr anadlydd i'w amddiffyn rhag nwy. Yn ei becyn goroesi roedd offer bwyta ac ymolchi, a dillad sbâr. Cyn mynd i ymladd, byddai'n rhoi'r pethau mwyaf angenrheidiol mewn sach lai o faint.

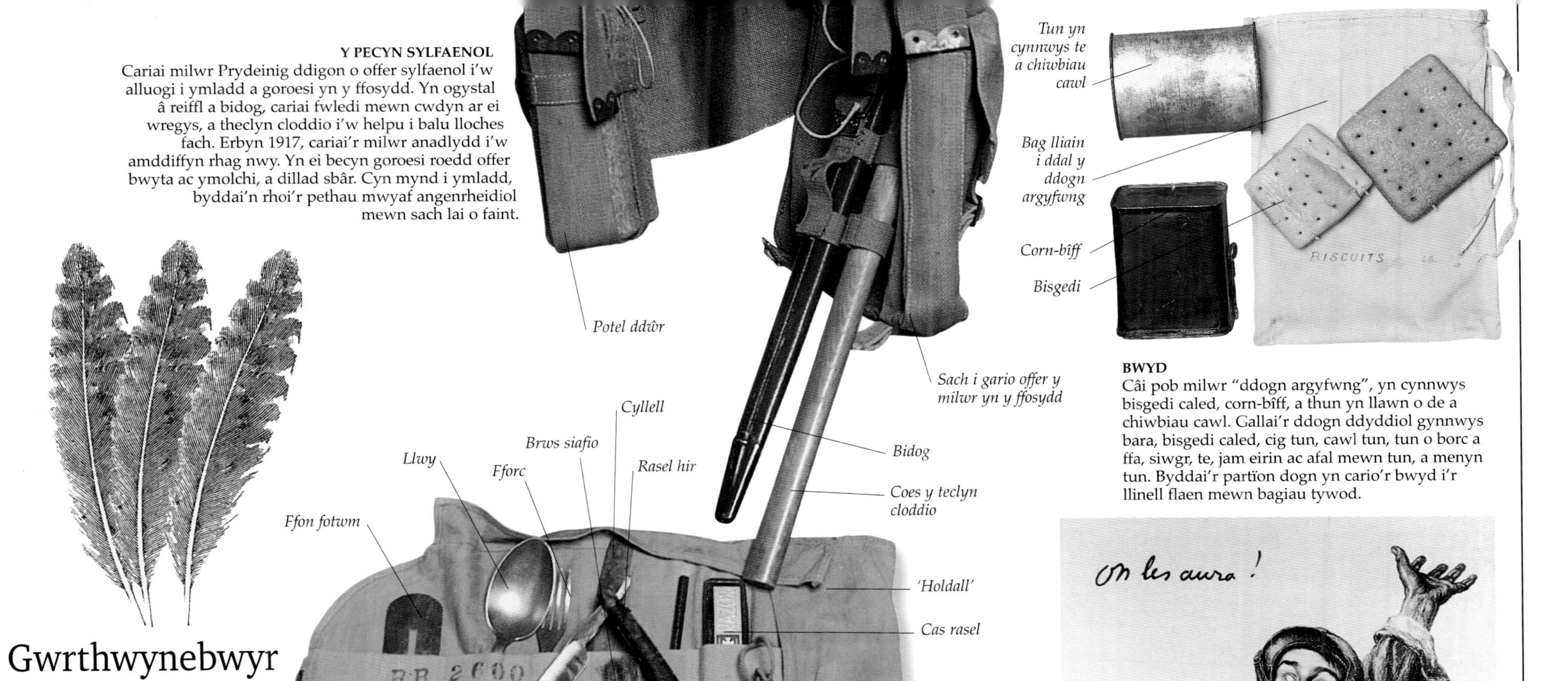

Pecyn bach y milwr

BWYD
Câi pob milwr "ddogn argyfwng", yn cynnwys bisgedi caled, corn-bîff, a thun yn llawn o de a chiwbiau cawl. Gallai'r ddogn ddyddiol gynnwys bara, bisgedi caled, cig tun, cawl tun, tun o borc a ffa, siwgr, te, jam eirin ac afal mewn tun, a menyn tun. Byddai'r partïon dogn yn cario'r bwyd i'r llinell flaen mewn bagiau tywod.

Gwrthwynebwyr cydwybodol

Rhoddwyd tair pluen wen i rai o'r dynion oedd yn gwrthod listio, fel arwydd o lwfrdra. Roedd rhai crefyddwyr yn gwrthod lladd eu cyd-ddynion, a rhai Sosialwyr yn gwrthod lladd eu cydweithwyr. Gelwid y ddau grŵp yn wrthwynebwyr cydwybodol. Er eu bod yn gwrthod ymladd, ymunodd rhai â'r gwasanaethau meddygol ac unedau tebyg, anymladdol.

MILWYR YR YMERODRAETH
Ar ddechrau'r rhyfel, gwirfoddolodd miloedd o ddynion o bob rhan o'r Ymerodraeth Brydeinig. Cafodd y Bengal Lancers, er enghraifft, lu o recriwtiaid newydd. Ymladdodd milwyr India gyda chlod ar Ffrynt y Gorllewin, yn Nwyrain Affrica Almaenig, ac yn y Dwyrain Canol.

TALU AM Y FYDDIN
I dalu costau'u byddinoedd mawr, roedd rhaid i bob gwlad godi trethi. Gofynnwyd i fanciau a buddsoddwyr preifat fenthyca arian i'w llywodraeth ar ffurf benthycion rhyfel. Mae'r poster enwog hwn o Ffrainc yn annog gwladgarwyr i gefnogi ail fenthyciad cenedlaethol er amddiffyn eu gwlad. "On les aura!" (Fe gurwn ni nhw!) yw'r slogan).

Cloddio'r ffosydd

Ar ddechrau'r rhyfel, roedd y ddwy ochr ar Ffrynt y Gorllewin yn disgwyl taro a gwrthdaro, a brwydro'n ffyrnig dros gilomedrau eang. Doedd neb yn disgwyl bod ar stop, heb ennill na cholli. Un broblem oedd fod y gynnau mawr a'r gynnau peiriant chwim yn ei gwneud hi bron yn amhosib i filwyr ymladd ar dir agored. Felly doedd dim amdani ond cloddio ffosydd a chuddio rhag y bwledi.

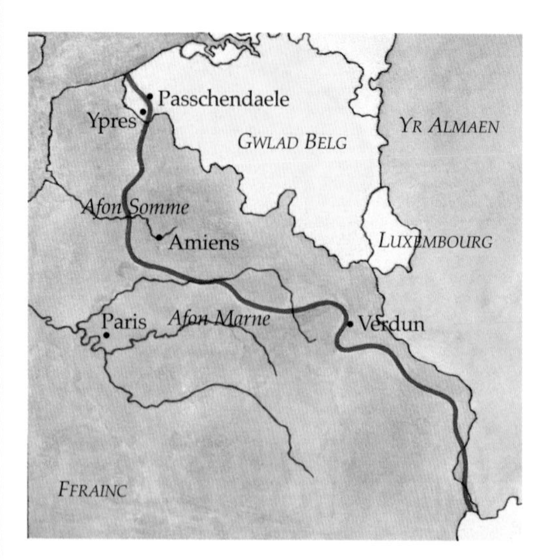

Llinell flaen y ffosydd

Y LLINELL FLAEN
Erbyn Rhagfyr 1914, roedd rhwydwaith o ffosydd yn ymestyn ar hyd Ffrynt y Gorllewin o arfordir Belg yn y gogledd, drwy ddwyrain Ffrainc hyd at ffin y Swistir 645 km (400 milltir) i'r de. Erbyn 1917, fe ellid fod wedi cerdded o un pen y ffrynt i'r llall, bron iawn, drwy ddilyn y ffosydd troellog.

Gorchudd llafn

OFFER CLODDIO
Cariai pob milwr declyn cloddio. Gyda'r teclyn gallai wneud "crafiad", sef ffos fach syml i'w warchod rhag gynnau'r gelyn. Hefyd gallai drwsio neu wella ffos a ddinistriwyd gan fombardiad y gelyn.

Teclyn cloddio Americanaidd M1910

Y FFOSYDD CYNTAF
Dim ond rhychau dwfn, yn cynnig fawr o loches rhag y bwledi, oedd y ffosydd cyntaf. Dyma ffos a balwyd gan 2il Warchodlu'r Alban ger Ypres, Hydref 1914. Credai'r cadfridogion mai ffosydd dros dro oedd y rhain. Disgwylient ymladd rhyfel symudol 'normal' yn y gwanwyn.

ARWYDDION
Roedd enw ar bob ffos, rhag ofn i rywun fynd ar goll. Weithiau defnyddid llysenwau.

LLEOLI'R FFOS
Ar ddechrau'r rhyfel, doedd gan neb fawr o syniad sut i gloddio ffos, ond fe ddysgon nhw'n gyflym. Fel arfer, dewisai'r Almaenwyr y lle gorau i wylio a thanio ar y gelyn heb symud o'u cuddfan. Roedd yn well gan Brydain a Ffrainc gipio cymaint o dir â phosib cyn dechrau cloddio.

WALIAU PREN
Os oedd waliau'r ffos yn malurio, gallai'r milwyr gael eu claddu'n fyw. Erbyn haf 1915, roedd yr Almaenwyr wedi gosod waliau pren mewn llawer ffos. Roedden nhw hefyd yn palu ffosydd dwfn iawn i warchod y dynion rhag bombardiad y gynnau mawr.

TAI BACH TWT?
Adeiladodd yr Almaenwyr ffosydd cywrain iawn, gan y credent mai'r ffosydd oedd ffin newydd yr Almaen. Roedd gan sawl ffos ffenestri â chaeadau, a matiau wrth y drws i sychu'r traed! Roedd ffosydd y Cynghreiriaid yn llawer mwy syml, achos roedden nhw'n disgwyl symud ymlaen ac adennill tir.

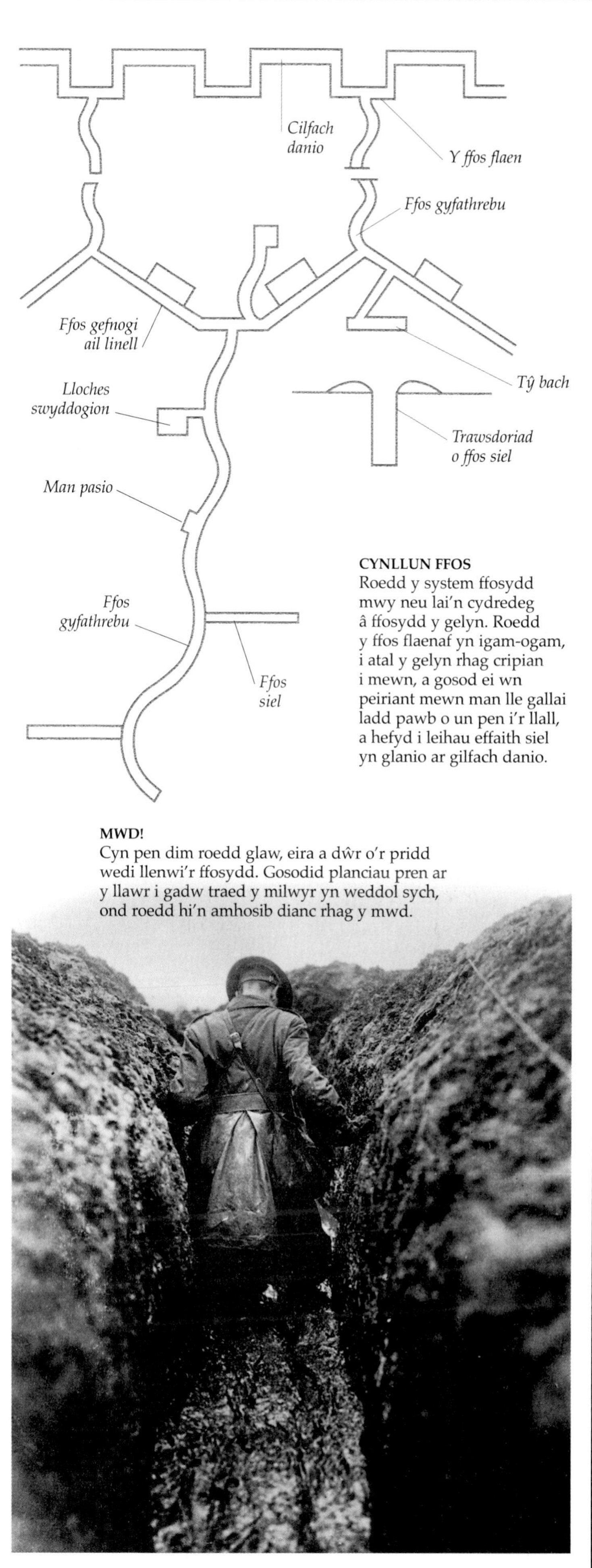

CYNLLUN FFOS
Roedd y system ffosydd mwy neu lai'n cydredeg â ffosydd y gelyn. Roedd y ffos flaenaf yn igam-ogam, i atal y gelyn rhag cripian i mewn, a gosod ei wn peiriant mewn man lle gallai ladd pawb o un pen i'r llall, a hefyd i leihau effaith siel yn glanio ar gilfach danio.

MWD!
Cyn pen dim roedd glaw, eira a dŵr o'r pridd wedi llenwi'r ffosydd. Gosodid planciau pren ar y llawr i gadw traed y milwyr yn weddol sych, ond roedd hi'n amhosib dianc rhag y mwd.

Bywyd yn y ffosydd

YN YSTOD Y DYDD byddai cyfnodau byr o arswyd llwyr wrth i'r gelyn danio, a chyfnodau hir o ddiflastod am yn ail. Yn ystod y nos byddai'r milwyr yn brysur, yn gwylio ac yn ysbeilio ffosydd y gelyn, ac yn trwsio parapetau'u llinellau blaen ac amddiffynfeydd eraill. Fel arfer roedd y gelyn yn ymosod ar doriad gwawr neu'r hwyrnos, felly bryd hynny byddai'r milwyr yn barod yn y cilfachau tanio. Yn y dydd roedd hi'n dawel, a'r dynion yn cysgu tra oedd gwylwyr yn cadw llygad ar ffosydd y gelyn. Byddai rhai'n sgrifennu at eu teulu, neu'n cadw dyddiadur. Ar y llinell flaen, doedd neb yn bwyta ar adegau pendant, achos doedd neb yn siŵr pryd y gallai'r cludwyr bwyd gyrraedd y ffos. I leddfu'r diflastod, treuliai'r milwr wythnos neu 10 diwrnod yn y llinell flaen, yna symud i'r llinellau wrth gefn, ac yna i fan tawelach lle gallai orffwys, ymolchi a chael dillad glân cyn mynd yn ôl i'r ffosydd.

CYSGODI
Roedd y ffosydd fel arfer yn gul iawn, ac yn aml heb gysgod. Mae'r milwyr hyn o Ganada wedi codi canopi. Pentwr o sachau tywod yw'r waliau.

Milwr yn glanhau mwd oddi ar gwdyn bwledi

GLÂN A THACLUS
Roedd hi'r un mor bwysig i filwr lanhau offer a thrin ei esgidiau yn y ffos, ag oedd hi yn y barics gartre. Mae'r milwyr Belgaidd hyn yn sylweddoli pa mor bwysig yw glanhau reiffl, os am ymladd yn effeithiol.

STORI DDA?
Mae'r model hwn o'r Imperial War Museum, Llundain, yn dangos milwr yn darllen. Er bod digon o amser i ddarllen yn ystod y dydd, byddai llygod mawr yn poeni'r milwr a llau yn ei gosi.

LLOCHES SWYDDOGION
Mae'r model hwn, o'r Imperial War Museum, Llundain, o loches swyddogion ar y Somme, Hydref 1916 yn dangos amodau cyfyng y bu'n rhaid eu dioddef yn y ffosydd. Mae un swyddog yn ffonio i ofyn am gefnogaeth y gynnau mawr wrth baratoi ymosodiad ar ffos y gelyn, a'r llall yn cysgu ar wely cynfas, wedi blino'n lân. Mae hysbysebion swyddogol, ffotograffau a chardiau o gartref ar y waliau.

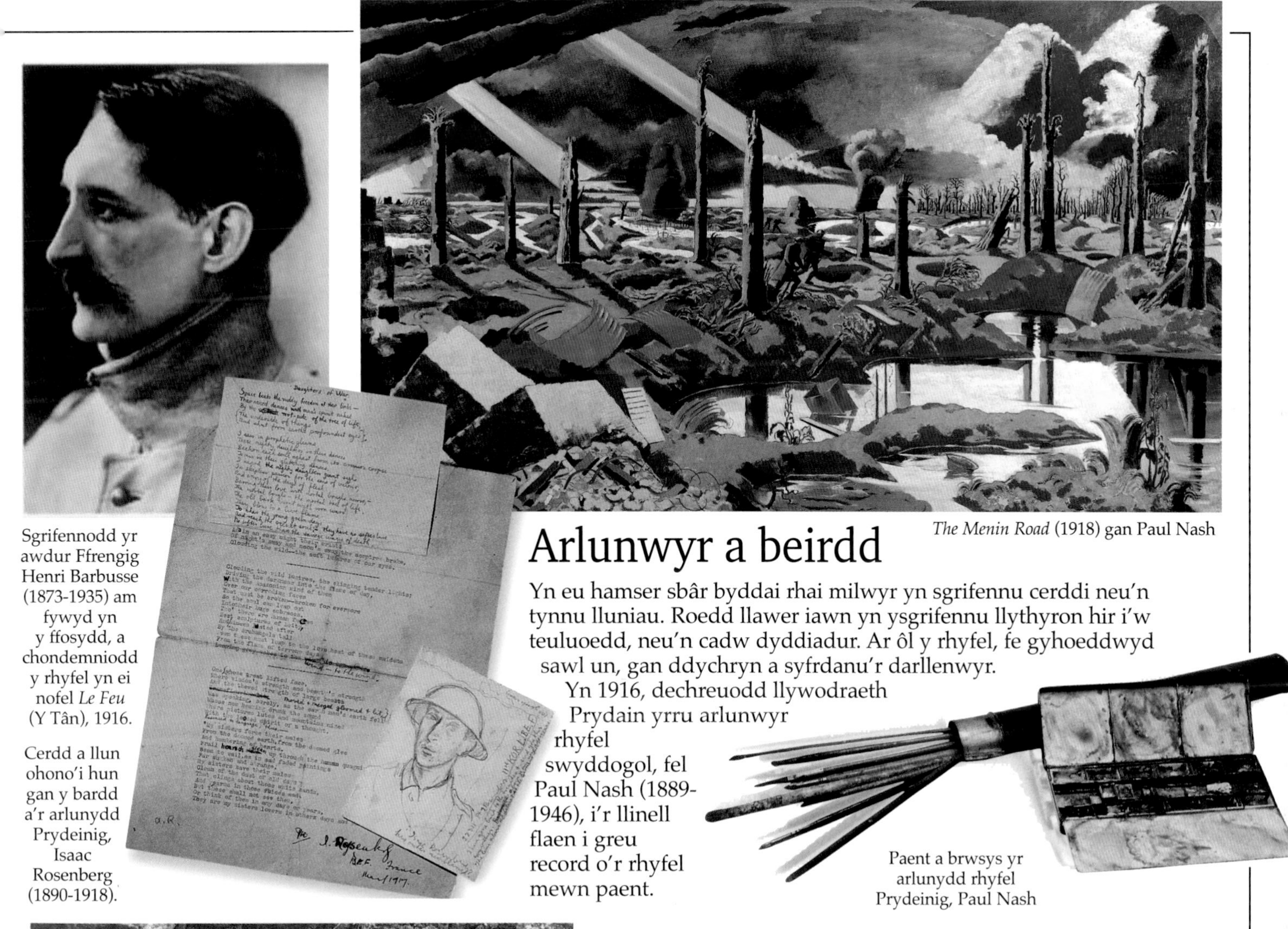

Sgrifennodd yr awdur Ffrengig Henri Barbusse (1873-1935) am fywyd yn y ffosydd, a chondemniodd y rhyfel yn ei nofel *Le Feu* (Y Tân), 1916.

Cerdd a llun ohono'i hun gan y bardd a'r arlunydd Prydeinig, Isaac Rosenberg (1890-1918).

The Menin Road (1918) gan Paul Nash

Arlunwyr a beirdd

Yn eu hamser sbâr byddai rhai milwyr yn sgrifennu cerddi neu'n tynnu lluniau. Roedd llawer iawn yn ysgrifennu llythyron hir i'w teuluoedd, neu'n cadw dyddiadur. Ar ôl y rhyfel, fe gyhoeddwyd sawl un, gan ddychryn a syfrdanu'r darllenwyr.

Yn 1916, dechreuodd llywodraeth Prydain yrru arlunwyr rhyfel swyddogol, fel Paul Nash (1889-1946), i'r llinell flaen i greu record o'r rhyfel mewn paent.

Paent a brwsys yr arlunydd rhyfel Prydeinig, Paul Nash

MEWN TWLL
Byddai milwyr cyffredin – fel yr aelodau hyn o'r British Border Regiment yng Nghoedwig Thiepval ar y Somme yn 1916 – yn treulio'u hamser sbâr mewn 'tyllau ymochel', sef tyllau wedi'u naddu yn ochrau'r ffos, neu o dan gynfasau gwrth-ddŵr. Yn wahanol i'r Almaenwyr, doedd y Prydeinwyr ddim yn bwriadu aros yn y ffosydd am hir, felly doedden nhw ddim eisiau i'r milwyr fod yn rhy gysurus.

***CUISINE* Y FFOS**
Mae'r swyddogion Ffrengig hyn yn bwyta'n dda yn eu ffos wrth gefn mewn ardal dawel. Roedd eraill yn llai ffodus, ac yn gorfod dioddef bwyd tun, neu fwyd masgynnyrch a gâi ei gludo i'r ffosydd a'i aildwymo.

Roedd llu o lygod mawr a llau yn y ffosydd

Barod i ymladd

BLE OEDD MILWYR FFRYNT Y GORLLEWIN YN YMLADD? Ar dir agored, neu dir neb, rhwng y ddwy linell flaen? Na, anaml y byddai hynny'n digwydd. Ymladd o'u ffosydd fydden nhw fel arfer. Byddai milwyr y ddwy ochr yn tanio ar bwy bynnag oedd yn ddigon dwl neu anlwcus i godi'i ben. Roedden nhw hyd yn oed yn tanio ar filwyr oedd yn ceisio achub ffrindiau clwyfedig o dir neb, neu'n symud cyrff oddi ar y ffensys weiren bigog. Hefyd byddai milwyr o un ochr yn cropian draw i ysbeilio ffosydd y llall. Roedd y perygl yn ddiddiwedd, a rhaid bod yn effro a gwylio llinellau'r gelyn bob awr o'r dydd.

BAROD I DANIO
Mae'r milwyr Almaenig hyn ar y Marne yn 1914 wedi gwneud tyllau tanio, er mwyn gallu gweld a thanio ar y gelyn heb godi'u pennau dros y parapet. Yn ddiweddarach defnyddiwyd sachau tywod yn lle waliau pridd. Ar gefn pob milwr mae pac lledr, a chôt fawr a lliain pabell mewn rholyn ar ben pob pac.

WYNEB YN WYNEB
Weithiau, wrth ysbeilio ffos y gelyn, byddai'n rhaid i'r milwyr ymladd wyneb yn wyneb. Dyma rai o'u harfau. Os oedd angen, gallent ladd y gelyn yn dawel bach heb dynnu sylw. Anaml iawn y defnyddid yr arfau hyn.

SGRIFENNU ADRE
Bu'r Canon Cyril Lomax yn gwasanaethu fel caplan i 8fed Bataliwn *Durham Light Infantry* yn Ffrainc o 1916 i 1917. Gan nad oedd yn ymladd, roedd ganddo amser i ddarlunio erchylltra'r rhyfel yn ei lythyron i'w deulu. Roedd gan fyddinoedd y ddwy ochr gaplaniaid ac offeiriaid eraill ar y ffrynt.

Last time over the bags was rather terrible. The few who managed to pull themselves out of the waist-deep mud had to stand on the top & pull others who were stuck out of the trenches. Imagine doing that with machine guns hard at work, to say nothing of snipers. One man I know of was drowned in the mud. Another was only extricated by eight men. Naturally no supports or rations could come up, & after gaining their objective in some cases, in others being mown down at once they had to retire.
I have had to make this trench too wide

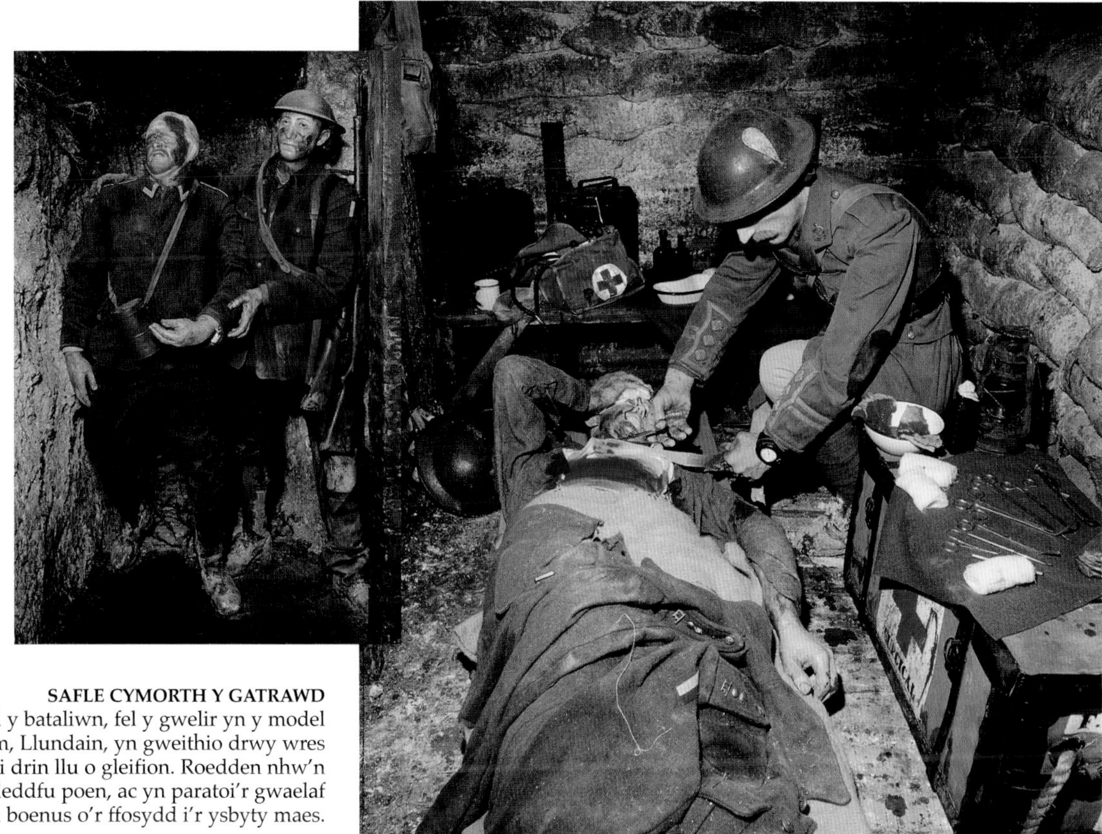

CYMORTH CYNTAF
Mae'r model hwn o'r Imperial War Museum, Llundain, yn dangos cynorthwy-ydd meddygol yn arwain carcharor Almaenig drwy'r ffosydd o'r llinell flaen i'r safle cymorth. Doedd pawb ddim mor lwcus. Fel arfer roedd hi'n rhy beryglus i achub y clwyfedig o dir neb yng ngolau dydd. Mentrodd llawer o filwyr eu bywydau i achub eu ffrindiau. Yn anffodus bu farw sawl milwr cyn i help gyrraedd.

SAFLE CYMORTH Y GATRAWD
Roedd swyddogion meddygol y bataliwn, fel y gwelir yn y model hwn o'r Imperial War Museum, Llundain, yn gweithio drwy wres y frwydr a'r bombardiad i drin llu o gleifion. Roedden nhw'n rhwymo clwyfau, yn ceisio lleddfu poen, ac yn paratoi'r gwaelaf ar gyfer y siwrnai boenus o'r ffosydd i'r ysbyty maes.

LLYFR YN ACHUB
Roedd perchennog y llyfr hwn yn lwcus. Arafwyd y fwled gan y llyfr, a chafodd y milwr fawr iawn o niwed.

CADW'N EFFRO
Tynnwyd y llun hwn o filwyr Bwlgaria yn 1915. Yn y ffos roedd rhaid bod yn effro drwy'r amser. Rhaid cadw gwyliadwriaeth gyson, a gofalu bod y gynnau'n barod, rhag ofn i'r gelyn ymosod. Byddai'r milwyr yn cymryd eu tro i fwyta, ac felly'n barod i ymladd bob amser.

"Dyn nobl iawn oedd yr Almaenwr saethais i . . . Roedd yn flin gen i, ond fe neu fi – dyna'r dewis"

Y MILWR PRYDEINIG JACK SWEENEY
21 TACHWEDD, 1916

Cyfathrebu a chyflenwi

TELEFFON MAES
Cysylltai'r llinell flaen â'r pencadlys dros y teleffon gan amlaf. Gyrrid negeseuon lleisiol a chod Morse.

MAE CYFATHREBU Â MILWYR y llinell flaen, a'u cyflenwi, yn broblem fawr i bob byddin. Ar Ffrynt y Gorllewin, roedd y broblem yn ddyrys iawn, am fod y llinell flaen mor hir a chymaint o filwyr yn ymladd ar hyd-ddi. Ganol 1917, er enghraifft, defnyddiai byddin Prydain 500,000 siel y dydd, ac weithiau miliwn. Er mwyn cyflenwi'u byddinoedd mawr llwglyd, roedd y ddwy ochr yn rhoi sylw mawr i'w rhwydwaith gyfathrebu. Y ceffyl oedd yn cludo, fel arfer, ond defnyddid mwy a mwy o beiriannau modur. Yn yr Almaen roedd trenau'n cludo dynion a nwyddau i'r ffrynt. Cynlluniai'r ddwy ochr yn ofalus i sicrhau bod bwyd ac arfau'n cyrraedd y llinell flaen yn ddiffael. Cadwai milwyr y llinell flaen mewn cysylltiad â'u pencadlys ac unedau eraill drwy'r teleffon a'r radio.

CYSYLLTU
Hyfforddwyd timau o beirianwyr – fel y grŵp hwn o Almaenwyr – i osod, cynnal, a thrin y teleffonau maes. Golygai hyn fod cysylltiad agosach a mwy rheolaidd rhwng y llinell flaen a'r pencadlys nag yn y rhyfeloedd blaenorol.

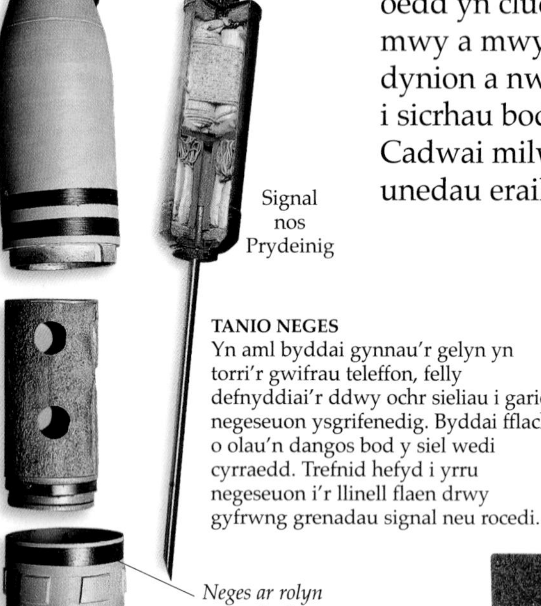

Signal nos Prydeinig

TANIO NEGES
Yn aml byddai gynnau'r gelyn yn torri'r gwifrau teleffon, felly defnyddiai'r ddwy ochr sieliau i gario negeseuon ysgrifenedig. Byddai fflach o olau'n dangos bod y siel wedi cyrraedd. Trefnid hefyd i yrru negeseuon i'r llinell flaen drwy gyfrwng grenadau signal neu rocedi.

Neges ar rolyn papur fan hyn

Siel neges Almaenig

Bathodyn gofalwr colomennod Ffrengig

Gorchudd cynfas wedi'i glymu â rhaffau.

POST COLOMENNOD
Defnyddid colomennod yn aml, lle nad oedd gwifrau teleffon. Gan fod cymaint o sŵn a chynnwrf ar y ffrynt, byddai'r adar yn drysu'n hawdd iawn ac yn hedfan i'r cyfeiriad anghywir. Defnyddiai'r Almaen "gŵn rhyfel" a hyfforddwyd i gario negeseuon mewn blychau ar eu coleri.

Milwr yn cael lifft i'r ffrynt ar wagen nwyddau

Tryciau'n cario nwyddau i'r ffrynt

Milwyr Prydeinig a glwyfwyd yn gadael y ffosydd, Tachwedd 1916

MYND A DOD

Un broblem fawr ar Ffrynt y Gorllewin oedd y diffyg heolydd da. Yn sydyn trodd lonydd bach cefn gwlad yn ffyrdd prysur wrth i filwyr, lorïau nwyddau a wagenni arfau, ambiwlansys maes a cherbydau eraill deithio ar hyd-ddyn nhw. Yn aml byddai milwyr ar eu ffordd i'r ffrynt yn pasio'r milwyr blinedig – rhai wedi'u hanafu – oedd yn mynd y ffordd arall.

AR BEDAIR OLWYN

Defnyddiai'r ddwy ochr lorïau a faniau i gludo dynion a nwyddau i'r llinell flaen. Adeiladwyd y lori gludo Brydeinig Wolseley 3-tunnell (3,050-kg) hon yn arbennig ar gyfer y rhyfel, ond defnyddid lorïau a thryciau llai hefyd.

Lori gludo Brydeinig Wolseley 3-tunnell (3,050-kg)

Caban agored

Ochrau'n disgyn ar gyfer mynediad

MERCHED Y BARA

Y tu ôl i'r llinellau, câi llwythi o fwyd eu paratoi bob dydd ar gyfer y milwyr ar y ffrynt. Aelodau'r *Women's Army Auxiliary Corps* (W.A.A.C.) oedd yn ngofal llawer o'r ceginau, cantinau a phoptai Prydeinig, fel yr un uchod yn Dieppe, Ffrainc. Sefydlwyd y Corps yn Chwefror 1917 i gymryd lle'r dynion oedd yn gorfod mynd i ymladd. Gwnaeth gwragedd waith pwysig fel clercod, teleffonyddesau, a cheidwaid stordy hefyd, gan ofalu bod y nwyddau angenrheidiol yn cyrraedd y llinell flaen.

Gwylio a gwrando

MAE CASGLU GWYBODAETH am y gelyn yn bwysig iawn adeg rhyfel, er mwyn penderfynu pryd i ymosod, neu baratoi i wrthsefyll ymosodiad. Roedd holi carcharorion yn ffordd effeithiol iawn. Hefyd, ar hyd Ffrynt y Gorllewin, roedd y ddwy ochr wrthi'n dyfeisio dulliau newydd o gasglu gwybodaeth. Byddai patrolau'n mynd allan liw nos i brofi cryfder a gwendidau llinellau'r gelyn. Roedd hwn yn waith peryglus iawn, a'r milwyr yn gorfod croesi dryswch o weiren bigog, gan efallai daro yn erbyn siel neu ddenu sylw gynnau'r gelyn. Defnyddid tyrau gwylio a pherisgopau. Daeth awyrennau'n fwy a mwy defnyddiol, gan eu bod yn gallu hedfan yn ddiogel dros y gelyn, sylwi ar eu ffosydd a lleoliad eu gynnau a thynnu lluniau'r llinell flaen. Defnyddid y wybodaeth hon i wneud mapiau o leoliad y gelyn.

Royal Aircraft Factory Blériot Experimental BE2a ar gyfer rhagchwilio a bomio ysgafn

GWYLIO O'R AWYR
Defnyddiai'r ddwy ochr awyrennau i wylio'r gelyn ar Ffrynt y Gorllewin. Ar y cychwyn, roedd cadlywyddion y Cynghreiriaid yn amheus iawn o'r datblygiad hwn. Ond ym Medi 1914, gwelodd peilotiaid Llu Awyr Ffrainc fyddinoedd yr Almaen yn newid cyfeiriad yn ymyl Paris. Oherwydd hyn, llwyddodd y Cynghreiriaid i atal yr Almaenwyr ym Mrwydr y Marne. Roedd y BE2a, uchod a chwith, yn gryf, cadarn a hawdd ei hedfan, ac yn arbennig o dda ar gyfer y gwaith. Peilot yr awyren, y Lefftenant H. D. Harvey-Kelley, oedd y peilot Prydeinig cyntaf i lanio yn Ffrainc yn ystod y rhyfel.

Perisgop stereosgopig Almaenig

DEFNYDDIO CWMPAWD
Liw nos gallai patrôl fynd ar goll yn nhir neb yn hawdd iawn, gan fod lonydd, coedwigoedd, caeau a bryniau hyd yn oed wedi'u dinistrio gan y gynnau. Felly roedd cwmpawd adlewyrchol yn hollbwysig, os oedd y patrôl am groesi'n ddiogel a chyrraedd ei ffos ei hun yn fyw ac yn iach cyn toriad gwawr.

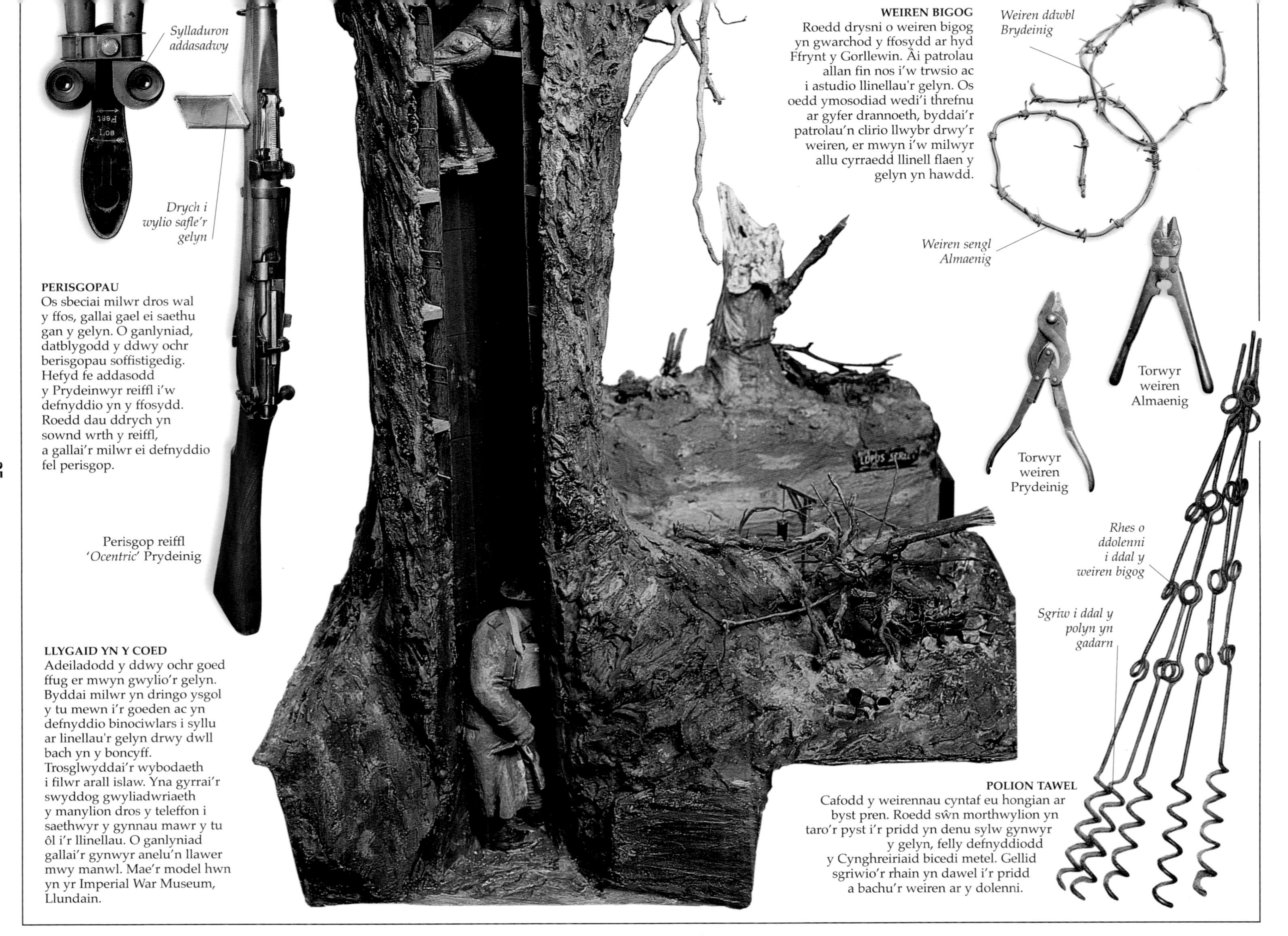

Sylladuron addasadwy

Drych i wylio safle'r gelyn

PERISGOPAU
Os sbeciai milwr dros wal y ffos, gallai gael ei saethu gan y gelyn. O ganlyniad, datblygodd y ddwy ochr berisgopau soffistigedig. Hefyd fe addasodd y Prydeinwyr reiffl i'w defnyddio yn y ffosydd. Roedd dau ddrych yn sownd wrth y reiffl, a gallai'r milwr ei defnyddio fel perisgop.

Perisgop reiffl *'Ocentric'* Prydeinig

LLYGAID YN Y COED
Adeiladodd y ddwy ochr goed ffug er mwyn gwylio'r gelyn. Byddai milwr yn dringo ysgol y tu mewn i'r goeden ac yn defnyddio binociwlars i syllu ar linellau'r gelyn drwy dwll bach yn y boncyff. Trosglwyddai'r wybodaeth i filwr arall islaw. Yna gyrrai'r swyddog gwyliadwriaeth y manylion dros y teleffon i saethwyr y gynnau mawr y tu ôl i'r llinellau. O ganlyniad gallai'r gynwyr anelu'n llawer mwy manwl. Mae'r model hwn yn yr Imperial War Museum, Llundain.

WEIREN BIGOG
Roedd drysni o weiren bigog yn gwarchod y ffosydd ar hyd Ffrynt y Gorllewin. Âi patrolau allan fin nos i'w trwsio ac i astudio llinellau'r gelyn. Os oedd ymosodiad wedi'i threfnu ar gyfer drannoeth, byddai'r patrolau'n clirio llwybr drwy'r weiren, er mwyn i'w milwyr allu cyrraedd llinell flaen y gelyn yn hawdd.

Weiren ddwbl Brydeinig

Weiren sengl Almaenig

Torwyr weiren Almaenig

Torwyr weiren Prydeinig

Rhes o ddolenni i ddal y weiren bigog

Sgriw i ddal y polyn yn gadarn

POLION TAWEL
Cafodd y weirennau cyntaf eu hongian ar byst pren. Roedd sŵn morthwylion yn taro'r pyst i'r pridd yn denu sylw gynwyr y gelyn, felly defnyddiodd y Cynghreiriaid bicedi metel. Gellid sgriwio'r rhain yn dawel i'r pridd a bachu'r weiren ar y dolenni.

Bombardio

GWARCHOD Y LLYGAID
Yn 1916-17, rhoddwyd miswrn maelwisg ar yr helmed Brydeinig i warchod y llygaid. Ond gan ei bod hi'n anodd gweld drwyddynt, fe'u tynnwyd i ffwrdd.

GWYLIWCH!
Roedd y milwyr mor gyfarwydd â gweld sieliau, roedd rhaid eu hatgoffa i wyro'u pennau, drwy osod arwyddion.

ROEDD Y GYNNAU MAWR YN HOLLBWYSIG yn y Rhyfel Byd Cyntaf. Gallai bombardiad manwl ddinistrio ffosydd y gelyn, eu gynnau mawr a'u system gyfathrebu. Gallai hefyd atal ymosodiad. Ond wrth i'r ddwy ochr gryfhau eu hamddiffynfeydd, fe gynyddodd hyd a ffyrnigrwydd y bombardio. Roedd angen tactegau newydd i dorri drwy linellau'r gelyn. Y tacteg mwyaf effeithiol oedd y taniad symudol, sef cawodydd o ergydion ffyrnig a dibaid yn symud o flaen yr ymosodwyr.

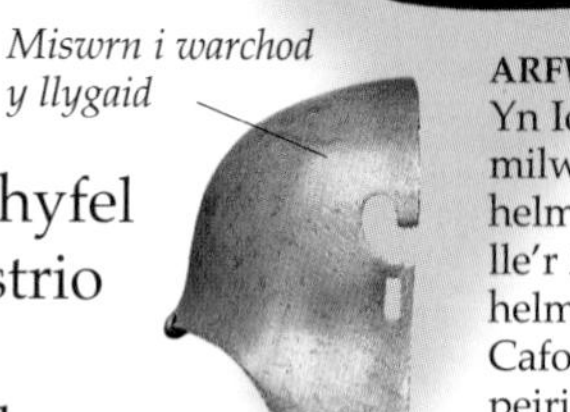

Helmed

Miswrn i warchod y llygaid

ARFWISG ALMAENIG
Yn Ionawr 1916, cafodd milwyr yr Almaen helmedau crwn, yn lle'r *Pickelhaube*, yr helmed â phigyn. Cafodd y gynwyr peiriant siacedi dur yn 1916.

Llurig

Platiau cymalog i guddio rhan isaf y corff

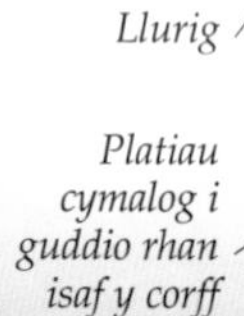

CUDDIO'R GWN
Defnyddiwyd dau brif fath o wn mawr yn ystod y rhyfel – magnel ysgafn, a dynnid gan geffylau, a gynnau trymach, fel yr howitzer, a gâi eu tynnu gan dractor a'u gosod ar safleoedd cadarn. Ar ôl eu rhoi yn eu lle, câi'r gynnau eu cuddio rhag y gelyn.

Howitzer Prydeinig 8-modfedd (20-cm) Mark V

SIELIAU
Er mwyn tanio'n ddibaid ar y gelyn, roedd angen nifer enfawr o sieliau, fel y dengys y llun hwn o storfa sieliau Brydeinig y tu ôl i Ffrynt y Gorllewin.

LLWYTHO HOWITZER
Roedd angen tîm o ddynion profiadol i lwytho a thanio'r gynnau mawr. Taniwyd yr howitzer Prydeinig 15-modfedd (38-cm) hwn ar Ffordd Menin ger Ypres, Hydref 1917. Mae'r siel enfawr ar y chwith mor drwm, rhaid ei chodi â winsh.

FFRWYDRAD!
Dyma lun dramatig o danc Prydeinig yn mynd ar dân ar ôl cael ei daro gan siel. Mae'n dangos pa mor ddinistriol oedd y gynnau mawr. Ar y dde iddo mae tanc arall yn torri drwy'r weiren bigog. Anaml y byddai siel yn taro targed symudol. Tanio ar linellau'r gelyn cyn ymosodiad, er mwyn eu gwanhau, fyddai'r gynnau mawr fel arfer.

Siel Brydeinig ffrwydro-ffyrnig 13-lb (5.9-kg)

Siel shrapnel Ffrengig 75-mm (2.9-modfedd)

Taniwyd o howitzer

Siel Brydeinig ffrwydro-ffyrnig 4.5-modfedd (11.4-cm)

Siel shrapnel Almaenig 15-cm (5.9-modfedd)

SIELIAU GWAHANOL
Câi'r sieliau eu dosbarthu yn ôl pwysau neu ddiamedr. Roedd sieliau ffrwydro-ffyrnig yn ffrwydro ar drawiad. Ffrwydrai'r sieliau shrapnel yn yr awyr a'u pwrpas oedd lladd ac anafu.

Dros y top

AR ÔL I'R GYNNAU MAWR FOMBARDIO amddiffynfeydd y gelyn, byddai'r milwyr yn dringo o'u ffosydd ac yn anelu am linellau'r gelyn. Roedd hyn yn beryglus iawn. Anaml oedd y bombardio'n dinistrio pob un o ynnau'r gelyn, na'r ffensys weiren bigog chwaith. Symudai peiriant-saethwyr y gelyn yn chwim i lenwi'r bylchau. Roedd yr ymosodwyr llwythog, heb ddim ond reiffl a bidog i'w hamddiffyn, yn dargedau hawdd. Ar ddiwrnod cyntaf Brwydr y Somme yng Ngorffennaf 1916, lladdodd neu anafodd gynnau peiriant yr Almaen ddau filwr Prydeinig ar hyd pob metr (tair troedfedd) o'r ffrynt 28-km (16-milltir).

GADAEL Y FFOS
Profiad brawychus oedd dringo'r ysgol o'r ffos a mentro i dir neb. Ychydig oedd yn sylweddoli fod gwaeth i ddod.

Siaced ddŵr ddur i oeri'r baril

Disg cuddio-fflach, yn ei gwneud hi'n anoddach i'r gelyn weld y gwn

Gwn peiriant Almaenig MG '08 Maxim

Stand ffos

Gwn peiriant Prydeinig .303-modfedd (7.7-mm) Maxim Mark 3 canolig

Dŵr i oeri'r baril

Stand drithroed

TANIO CYFLYM
Taniai'r gynnau peiriant hyd at 600 bwled y funud. Llwythid y bwledi i wregys o gynfas neu fetel-ddolen, neu i ddrôr metel oedd yn eu llwytho'n awtomatig i'r gwn. Roedd siaced o ddŵr am faril y gwn i'w oeri.

YN Y FRWYDR
Mae'r peiriant-saethwyr Almaenig hyn yn gwarchod ystlys (ochr) eu byddin sy'n ymosod ar Ffrynt y Gorllewin. Roedd y gynnau peiriant yn angheuol a dibynadwy. Gan eu bod yn fach ac yn hawdd eu symud, roedd hi'n anodd i'r gelyn eu dinistrio.

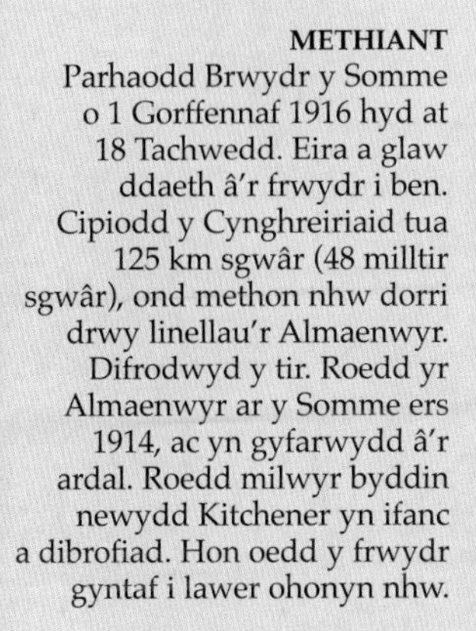

METHIANT
Parhaodd Brwydr y Somme o 1 Gorffennaf 1916 hyd at 18 Tachwedd. Eira a glaw ddaeth â'r frwydr i ben. Cipiodd y Cynghreiriaid tua 125 km sgwâr (48 milltir sgwâr), ond methon nhw dorri drwy linellau'r Almaenwyr. Difrodwyd y tir. Roedd yr Almaenwyr ar y Somme ers 1914, ac yn gyfarwydd â'r ardal. Roedd milwyr byddin newydd Kitchener yn ifanc a dibrofiad. Hon oedd y frwydr gyntaf i lawer ohonyn nhw.

"Roedd y ffordd yn llawn o ddarnau o iwnifform, arfau, a chyrff marw."

LEFFTENANT ERNST JUNGER, MILWR ALMAENIG, Y SOMME, 1916

Y diwrnod cyntaf ar y Somme

Bwriadai'r Cynghreiriaid dorri drwy'r llinellau Almaenig i'r gogledd o'r afon Somme, Ffrainc, yn 1916. Gan ddechrau ar 24 Mehefin, fe daniodd y gynnau mawr am chwe diwrnod ar linellau'r gelyn, ond ciliodd yr Almaenwyr i'w bynceri dwfn, heb gael fawr o niwed. Pan ymosododd troedfilwyr Prydain am 7.30 ar fore 1 Gorffennaf, daeth y peiriant-saethwyr Almaenig allan o'u bynceri a thanio. Gan feddwl bod eu gynnau mawr wedi difa llinellau'r Almaen, fe gerddodd y milwyr yn araf mewn rhesi tuag atyn nhw. Lladdwyd nhw'n hawdd.

Isod: Milwyr y 103edd Frigâd (Tyneside Irish) yn ymosod ar La Boisselle ar ddiwrnod cyntaf y Somme

TRIN CLWYFAU
Yn y llun mae un o swyddogion meddygol y fyddin yn gofalu am filwr a anafwyd yn Thiepval ger y Somme ym Medi 1916. Roedd y ffos yn gul ac yn anodd symud ar hyd-ddi.

Trin clwyfau

DOES NEB YN SIŴR FAINT o filwyr gafodd eu hanafu yn y rhyfel – tua 21 miliwn, efallai. Roedd gofalu amdanyn nhw'n golygu cynllunio manwl. Y cam cyntaf oedd eu trin yn y safleodd cymorth yn y ffosydd. Yna caent eu cludo i'r ysbytai cliriol, y tu ôl i'r llinell flaen. Yma câi'r claf sylw meddygol manwl a llawdriniaeth syml, os oedd angen, cyn ei symud i ysbyty sefydlog ymhellach o'r ffrynt. Âi'r rhai a glwyfwyd yn ddrwg adre i ysbytai ymadfer. Fe ddychwelodd 78% o filwyr Prydeinig Ffrynt y Gorllewin i'r frwydr. Dioddefai llawer o afiechydon. Mewn rhai mannau, afiechydon achosodd 50% o'r marwolaethau.

DYN LWCUS
Er i ddarn o siel fynd drwy helmed y dyn hwn, chafodd e fawr o niwed. Roedd e'n lwcus. Dioddefodd llawer o ddynion anafiadau a barhaodd am oes – os llwyddon nhw i oroesi o gwbl.

CYMORTH YN Y FFOS
Yn y ffos byddai cynorthwywyr meddygol yn trin clwyfau'r milwr yn y fan a'r lle. Yna fe gâi ei drosglwyddo i safle cymorth y gatrawd am archwiliad mwy manwl.

Rhestr yn dangos enwau a lleoliad y cynnwys

Poteli o antiseptig a lleddfwyr poen

PECYN ALMAENIG
Cariai cynorthwy-wyr meddygol (*Sanitätsmannschaften*) yr Almaen ddau fag cymorth cyntaf ar eu gwregys. Yn y bag ar y dde (uchod) roedd poteli o antiseptig syml, lleddfwyr poen a thriniaethau eraill, ac roedd gorchudd a rhwymynnau trionglog yn y bag ar y chwith.

Stribed o lenni les

Rhwymynnau Almaenig

RHWYMYNNAU A'U HAILGYLCHWYD
Gan fod Prydain yn blocedio'i llynges, doedd gan yr Almaen ddim cotwm na lliain. Gwnaed rhwymynnau o ffibr pren, papur a llenni les.

OFFER MEDDYGOL
Cariai doctoriaid y fyddin setiau o offer, tebyg i'r set uchod a ddefnyddid gan fyddin India. Roedd galw mawr am eu sgiliau. Roedd rhaid trin pob math o anafiadau gan fwledi a sieliau, a hynny ar frys.

YR YSBYTY MAES
Defnyddid ffermdai, adfeilion ffatrïoedd a hyd yn oed eglwysi wedi'u bomio, fel hon yn Meuse, Ffrainc, fel ysbytai cliriol. Elfennol iawn oedd y gofal, ac roedd rhaid i lawer helpu'u hunain.

Siel-syfrdan

Shellshock yw'r enw a ddefnyddir i ddisgrifio dryswch, sioc emosiynol, blinder nerfol, ac afiechydon tebyg. Doedd neb wedi adnabod y broblem cyn y Rhyfel Byd Cyntaf, ond roedd ymladd yn y ffosydd mor erchyll, fe ddatblygodd llawer o filwyr symptomau. Gwellodd y mwyafrif , ond dioddefodd rhai hunllefau ac effeithiau eraill am weddill eu bywyd. Achosodd yr anhwylder ddadl enfawr, ac yn 1922 cyhoeddodd Pwyllgor y Swyddfa Ryfel Brydeinig nad oedd siel-syfrdan yn salwch go iawn ond yn hytrach yn gasgliad o afiechydon cyfarwydd.

Cynorthwy-ydd meddygol yn arwain milwr clwyfedig o'r ffosydd

AMBIWLANS
Roedd gan Gorfflu Meddygol Brenhinol y Fyddin Brydeinig, a'r corff cyfatebol yn yr Almaen, fflyd o ambiwlansys maes i gario cleifion i'r ysbyty. Gwirfoddolwyr, yn enwedig gwragedd a phobl o wledydd nad oedd yn ymladd, megis UDA tan 1917, oedd yn eu staffio gan amlaf.

Merched yn y rhyfel

PAN AETH Y DYNION I FFWRDD I YMLADD, roedd rhaid i'r merched gymryd eu lle. Cyn hynny roedd y dewis o swyddi i wragedd yn gyfyng – gwaith tŷ, nyrsio, dysgu, ffermio'r tyddyn teuluol, ac ychydig o swyddi eraill a ystyrid yn addas i ferched. Ond nawr roedden nhw'n gweithio mewn ffatrïoedd, yn gyrru tryciau ac ambiwlansys, ac yn gwneud bron popeth yr arferai'r dynion eu gwneud. Gadawodd llawer o wragedd swyddi di-nod a mynd i weithio mewn ffatrïoedd arfau a diwydiannau eraill am dâl a statws llawer uwch. Ond ar ôl y rhyfel, dychwelodd y mwyafrif i waith tŷ neu'r math o waith oedd ganddyn nhw cyn y rhyfel.

AR Y LLINELL FLAEN
I rai merched, roedd y rhyfel yn antur fawr. Fe aeth y nyrs Elsie Knocker (uchod) o Loegr i Wlad Belg yn 1914. Ymunodd Mairi Chisholm o'r Alban â hi, ac fe sefydlon nhw orsaf drin clwyfau yn Pervyse. Bu'r ddwy yno'n trin clwyfau nes dioddef o effaith nwy yn 1918. Ychydig iawn o ferched eraill oedd ar y llinell flaen. Derbyniodd 'Merched Pervyse' Urdd Leopold gan Albert, Brenin Belg, a'r Fedal Filwrol Brydeinig. Priododd Elsie swyddog Belgaidd, y Barwn de T'Sercles.

GOLCHI DILLAD
Roedd merched yn gyfarwydd â gweithio mewn poptai a golchdai, ac fe ddalion nhw ati adeg rhyfel, ar raddfa llawer mwy eang. Roedd y merched Ffrengig hyn yng ngolchdy'r Fyddin Brydeinig yn Prevent, Ffrainc, yn 1918, yn golchi dillad miloedd o filwyr bob dydd.

MERCHED WRTH GEFN
Ychydig o ferched fu'n ymladd, ond ymunodd llawer â byddinoedd wrth gefn, er mwyn rhyddhau'r dynion i ymladd. Roedden nhw'n gyrru tryciau, trwsio peiriannau, ac yn gwneud llawer o waith gweinyddu a chyflenwi. Ym Mhrydain ymunodd llawer â'r W.A.A.C, *The Women's* (yn ddiweddarach *Queen Mary's*) *Army Auxiliary Corps*. Ar y poster recriwtio roedd merch mewn dillad caci (chwith) a'r geiriau "Y ferch tu ôl i'r dyn tu ôl i'r gwn". Er eu bod yn gweithio i'r fyddin, sifiliaid oedden nhw.

BYDDIN DIR Y MERCHED
Roedd angen cynhyrchu llawer iawn mwy o fwyd adeg rhyfel, wrth i'r naill ochr drio atal y llall rhag mewnforio bwyd. Ym Mhrydain ymunodd 113,000 â Byddin Dir y Merched, a ffurfiwyd yn Chwefror 1917. Câi'r merched eu talu'n dda am redeg ffermydd. Perthynai llawer, fel y merched iach-lawen hyn, i'r dosbarthiadau canol neu uwch. Fe wnaethon nhw gyfraniad gwerthfawr, ond ychydig oedden nhw o'u cymharu â'r niferoedd o ferched o'r dosbarth gweithiol oedd eisoes yn gweithio ar y tir ledled Ewrop.

MERCHED GLEW RWSIA
Ymunodd llawer o ferched Rwsia â "Lleng Marwolaeth" i ymladd dros eu gwlad. Enillodd y bataliwn cyntaf o Petrograd (St Petersburg) glod arbennig am ddal dros 100 o Almaenwyr wrth i'r Rwsiaid gilio, ond lladdwyd llawer o'r merched yn y frwydr.

Llythyron teuluol a anfonwyd at filwyr y ffrynt

Ffotograffau teuluol

Hances les

CEFNOGWCH EICH GWLAD
Defnyddid lluniau o ferched "delfrydol" i ennill cefnogaeth i'r rhyfel. Mae'r poster Rwsiaidd hwn yn annog pobl i brynu bondiau rhyfel (benthycion i'r llywodraeth) drwy gysylltu merched Rwsia â chariad at y famwlad.

GWEITHIO MEWN TLODI
Adeg rhyfel, cynyddodd cyfoeth a statws llawer o ferched, ond nid ym mhobman. Gweithiai'r Eidalesau hyn dan amodau ofnadwy mewn ffatri arfau. Roedd llawer yn ifanc iawn ac yn methu fforddio esgidiau. Roedd yr un peth yn wir mewn ffatrïoedd ar draws yr Eidal, yr Almaen a Rwsia. Gweithiai'r merched am oriau hir, ond prin yr enillen nhw ddigon i fwydo'r teulu. Fel canlyniad fe aeth llawer o ferched ar streic.

CODI CALON
Cadwai'r gwragedd mewn cysylltiad â'u gwŷr, brodyr a meibion ar y ffrynt drwy ysgrifennu llythyron. Anfonent roddion bach, fel ffotograffau neu flodau sych, i sicrhau'r dynion fod popeth yn iawn ac i'w hatgoffa o'u cartref. Byddai hynny'n codi calon y milwyr hiraethus ac ofnus.

Rhyfel yn yr awyr

YMLADD
Ymladdai peilotiaid yn erbyn ei gilydd uwchben Ffrynt y Gorllewin. Gan fod y gwn ar ben yr awyren, roedd rhaid i'r peilot hedfan yn syth at y gelyn cyn saethu.

PAN GYCHWYNNODD Y RHYFEL YN AWST 1914, roedd yr awyren yn dal yn ddyfais go newydd, prin 10 mlwydd oed. Roedd awyrennau wedi cael eu defnyddio am gyfnod byr yn y rhyfel rhwng yr Eidal a Thwrci yn 1911, ond ar gyfer sifiliaid yn bennaf y datblygwyd yr awyrennau cyntaf. Doedd rhai arweinwyr milwrol ddim yn gweld sut y gallen nhw ddefnyddio awyrennau, ond fe newidion nhw'u meddwl yn fuan. Gwaith yr awyrennau rhyfel cyntaf oedd chwilio am wybodaeth, a nodi ble oedd llinellau'r gelyn fel y gallai'r gynnau mawr eu targedu. Byddai peilotiaid y gelyn yn ceisio'u saethu i'r llawr. Yn aml byddai dau 'archbeilot', sef peilotiaid medrus a dewr, yn brwydro yn yr awyr. Yn fuan datblygwyd awyrennau ymladdol, fel y Sopwith Camel a'r Fokkers Almaenig, a hefyd awyrennau cadarnach oedd yn gollwng bomiau. Erbyn diwedd y rhyfel, yn hytrach na chynnig ychydig o help i'r milwyr ar lawr, roedd gan awyrennau eu rhan bwysig eu hunain.

Mwgwd lledr

Balaclafa lledr

Gogls â gwydr cryf

SOPWITH CAMEL
Ymladdodd y Sopwith F1 Camel am y tro cyntaf ym Mehefin 1917. Saethodd i lawr fwy o awyrennau Almaenig nag unrhyw awyren arall. Roedd peilotiaid yn ei hoffi am ei bod yn ystwyth, ac yn gallu troi'n sydyn wrth hedfan yn gyflym.

Adenydd pren siâp bocs â gorchudd o gynfas

Lled adain 8.2-m (26-troedfedd 11-modfedd)

GWISGO'N GYNNES
Roedd caban yr awyren yn agored, felly gwisgai'r peilot gôt o ledr meddal, balaclafa, ac esgidiau a menig lledr â leinin croen dafad i'w gadw'n gynnes. Yn ddiweddarach, daeth y siwt undarn o gotwm wedi'i gwyro, â leinin o sidan a ffwr, yn gyffredin.

Esgidiau croen dafad

Gwadn dew i atal llithro

Propelor i lywio'r bom

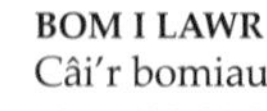

BOM I LAWR
Câi'r bomiau cyntaf eu gollwng dros ymyl yr awyren gan y peilot. Cyn hir datblygwyd awyrennau bomio gydag anelwyr, rac dal bomiau dan gorff yr awyren, a system ollwng dan ofal y peilot neu aelod o'r criw.

Bom Prydeinig Marten Hale 9.1-kg (20-lb), yn cynnwys 2 kg (4.5 lb) o ffrwydron

Esgyll i atal y bom rhag troelli wrth ddisgyn

Tyllau i alluogi'r bom i losgi ar drawiad

Bom tân Prydeinig Carcass

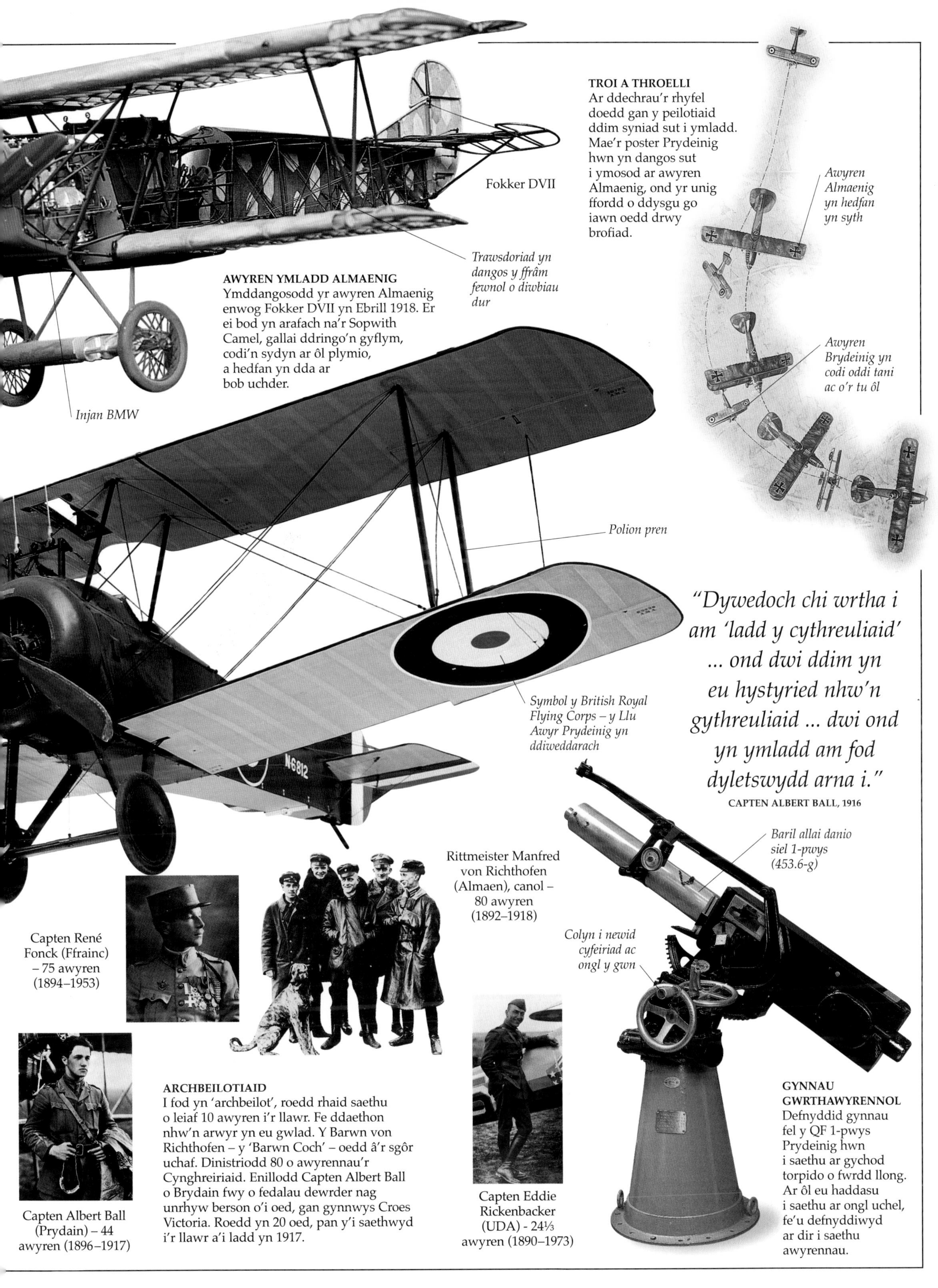

Fokker DVII

Injan BMW

Trawsdoriad yn dangos y ffrâm fewnol o diwbiau dur

AWYREN YMLADD ALMAENIG
Ymddangosodd yr awyren Almaenig enwog Fokker DVII yn Ebrill 1918. Er ei bod yn arafach na'r Sopwith Camel, gallai ddringo'n gyflym, codi'n sydyn ar ôl plymio, a hedfan yn dda ar bob uchder.

TROI A THROELLI
Ar ddechrau'r rhyfel doedd gan y peilotiaid ddim syniad sut i ymladd. Mae'r poster Prydeinig hwn yn dangos sut i ymosod ar awyren Almaenig, ond yr unig ffordd o ddysgu go iawn oedd drwy brofiad.

Awyren Almaenig yn hedfan yn syth

Awyren Brydeinig yn codi oddi tani ac o'r tu ôl

Polion pren

Symbol y British Royal Flying Corps – y Llu Awyr Prydeinig yn ddiweddarach

> *"Dywedoch chi wrtha i am 'ladd y cythreuliaid' ... ond dwi ddim yn eu hystyried nhw'n gythreuliaid ... dwi ond yn ymladd am fod dyletswydd arna i."*
>
> CAPTEN ALBERT BALL, 1916

Baril allai danio siel 1-pwys (453.6-g)

Colyn i newid cyfeiriad ac ongl y gwn

Rittmeister Manfred von Richthofen (Almaen), canol – 80 awyren (1892–1918)

Capten René Fonck (Ffrainc) – 75 awyren (1894–1953)

Capten Albert Ball (Prydain) – 44 awyren (1896–1917)

ARCHBEILOTIAID
I fod yn 'archbeilot', roedd rhaid saethu o leiaf 10 awyren i'r llawr. Fe ddaethon nhw'n arwyr yn eu gwlad. Y Barwn von Richthofen – y 'Barwn Coch' – oedd â'r sgôr uchaf. Dinistriodd 80 o awyrennau'r Cynghreiriaid. Enillodd Capten Albert Ball o Brydain fwy o fedalau dewrder nag unrhyw berson o'i oed, gan gynnwys Croes Victoria. Roedd yn 20 oed, pan y'i saethwyd i'r llawr a'i ladd yn 1917.

Capten Eddie Rickenbacker (UDA) - $24\frac{1}{3}$ awyren (1890–1973)

GYNNAU GWRTHAWYRENNOL
Defnyddid gynnau fel y QF 1-pwys Prydeinig hwn i saethu ar gychod torpido o fwrdd llong. Ar ôl eu haddasu i saethu ar ongl uchel, fe'u defnyddiwyd ar dir i saethu awyrennau.

Zeppelin

YNG NGWANWYN 1915 ymddangosodd awyrlongau cyntaf yr Almaenwyr yn y nos dros Brydain. Achosodd y peiriannau enfawr ac araf hyn banig mawr. Gallai cawodydd o fomiau ddisgyn ohonynt. Ond ychydig iawn o effaith gafodd awyrlongau ar y rhyfel. Dyfeisiwyd yr awyrlong gyntaf gan y bonheddwr Almaenig, Graf Ferdinand von Zeppelin, yn 1900. Er y defnyddir yr enw zeppelin yn aml, yr unig awyrlongau â hawl go iawn i'r enw yw'r rhai a ddyfeisiwyd gan y Graf ei hun. Yn gynnar yn y rhyfel, gallai awyrlongau hedfan yn uwch nag awyrennau. Roedd bron yn amhosib eu saethu i'r llawr, felly fe'u defnyddiwyd ar gyfer cyrchoedd bomio. Ond cyn hir datblygwyd awyrennau allai hedfan yn uwch, a bwledi tân i ddinistrio'r zeppelins. Erbyn 1917, prif bwrpas awyrlongau Prydeinig ac Almaenig oedd hedfan uwchben y môr i gasglu gwybodaeth.

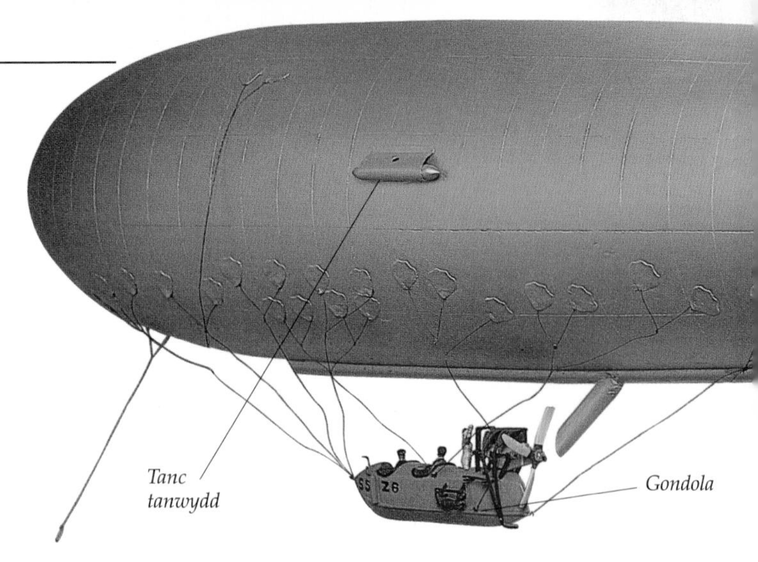

YN Y GONDOLA
Roedd y criw'n gyrru'r awyrlong o'r gondola – caban eang o dan yr awyrlong. Roedd ochrau'r gondola'n agored, felly doedd dim cysgod rhag y tywydd.

BOMIO
Roedd criwiau'r awyrlongau cyntaf yn gollwng eu bomiau, fel y bom tân hwn, dros ymyl y gondola â llaw. Roedd gan fodelau diweddarach beirianwaith awtomatig.

Bom tân Almaenig a ollyngwyd ar Lundain gan Zeppelin LZ38, 31 Mai 1915

TYFU
Cymerodd yr awyrlong Almaenig L3 hon ran yn y cyrch cyntaf ar Brydain ar noson 19–20 Ionawr 1915, gan niweidio 20 o sifiliaid. Er i'w maint beri dychryn, erbyn 1918 roedd gan yr Almaen awyrlongau bron deirgwaith yn fwy.

SEA SCOUT ZERO
Ymunodd yr SSZ (Sea Scout Zero) Prydeinig â'r rhyfel yn 1916. Doedd ganddi ddim ffrâm fewnol, felly roedd hi'n ysgafn iawn. Fel canlyniad gallai gyrraedd cyflymder rhyfeddol o 72 km (45 milltir) yr awr, a gallai aros yn yr awyr am 17 awr. Roedd ganddi griw o dri, a'u prif ddyletswydd oedd gwylio am longau tanfor a hebrwng confois.

HEDFAN DROS Y MÔR
Gwylio am longau tanfor yr Almaen oedd prif waith yr awyrlongau Prydeinig. Byddai'r peiriant-saethwr yn gwarchod y criw a'r llong rhag awyrennau'r gelyn, ac aelodau eraill o'r criw yn gwylio. Mae'r ddau ddyn hwn yn sefyll ar nenbont fregus ar ochr y gondola sy o dan yr awyrlong.

TARGEDU LLUNDAIN
Ymosododd awyrlongau'r Almaen ar Lundain am y tro cyntaf ar 31 Mai 1915, gydag ymosodiad mwy chwyrn yn dilyn ar 8 Medi. Tynnodd yr arlunydd R. Schmidt o Hamburg lun un o'r cyrchoedd. Bu cyfanswm o 51 cyrch gan awyrlongau ar ddinasoedd Prydain. Gollyngwyd 2,000 kg (2.2 tunnell) o fomiau. Lladdwyd 557 ac anafwyd 1,358.

Rhyfel ar y môr

"I WANT YOU"
Pan ymunodd UDA â'r rhyfel yn Ebrill 1917, roedd poster o ferch bert mewn iwnifform (uchod) yn annog dynion i listio.

AR ÔL I BRYDAIN LANSIO'R LLONG ryfel *Dreadnought* yn 1906, roedd Prydain a'r Almaen wedi mynd ati i adeiladu llu o longau. Serch hynny, ychydig iawn o frwydro fu ar y môr. Roedd angen llynges ar Brydain i gadw'r moroedd ar agor i'r llongau masnach oedd yn cludo bwyd a nwyddau i'r wlad, ac i atal nwyddau rhag cyrraedd yr Almaen. Roedd angen llynges ar yr Almaen i'w gwarchod rhag ymosodiad. Yr unig frwydr fôr o bwys oedd yr un gymerodd le ger Jutland, Denmarc, ym Môr y Gogledd, yn 1916. Enillodd neb y frwydr honno. O dan y môr y bu'r brwydro ffyrnicaf, wrth i longau tanfor yr Almaen ymosod ar longau masnach a llongau milwyr y Cynghreiriad i geisio gorfodi Prydain i gefnu ar y rhyfel.

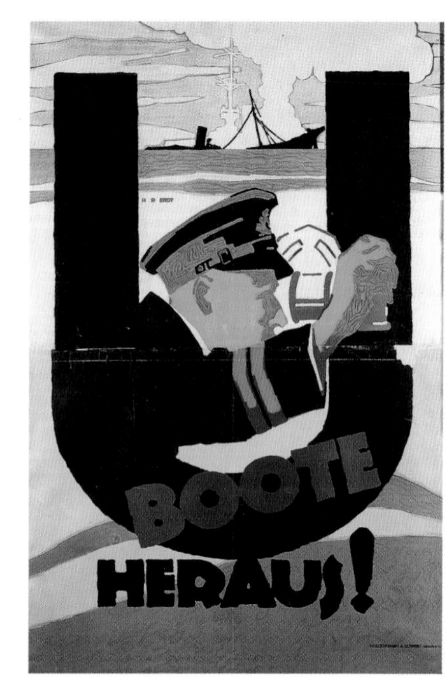

LLONGAU TANFOR ALLAN!
Mae'r poster propaganda Almaenig hwn *Mae'r llongau tanfor allan!* yn dangos y bygythiad i longau'r Cynghreiriaid gan longau tanfor yr Almaen.

BYW MEWN LLONG DANFOR
Roedd yr amodau yn gyfyng ac anghyfforddus. Roedd yr aer yn fudr o achos y mwg a'r gwres o'r injan, a'r diffyg awyru. I ymosod ar longau'r gelyn, roedd rhaid i'r criw hwylio drwy feysydd ffrwydron, gan osgoi cael eu gweld gan awyrennau.

TIR A MÔR
Gall awyrennau môr godi a glanio ar ddŵr a thir. Eu gwaith oedd rhagchwilio a bomio. Y Short 184 hon oedd yr awyren fôr gyntaf i suddo llong â thorpido.

Fflotiau ar gyfer glanio ar ddŵr

Balŵn wylio

Gwn

LLWYDDIANT A METHIANT
Ymladdai'r llongau tanfor Almaenig o dan ac ar wyneb y dŵr. Yn y llun, mae'r criw'n defnyddio canon bwrdd i danio ar stemar. Suddodd llongau tanfor yr Almaen 5,554 o longau masnach y Cynghreiriaid a rhai niwtral, a nifer o longau rhyfel. Dinistriwyd 178 o'r 372 llong danfor Almaenig gan fomiau a thorpidos y Cynghreiriaid.

DALLU DISGLAIR
Bu sawl arlunydd yn helpu'u gwlad adeg rhyfel, rhai mewn ffyrdd rhyfedd iawn. Bu'r peintiwr modern Prydeinig Edward Wadsworth yn arolygu peintio llongau â *'dazzle'* i'w cuddio rhag y gelyn. Yn ddiweddarach fe beintiodd y llun hwn, *Dazzle ships in dry dock at Liverpool*, i ddangos y gwaith gorffenedig.

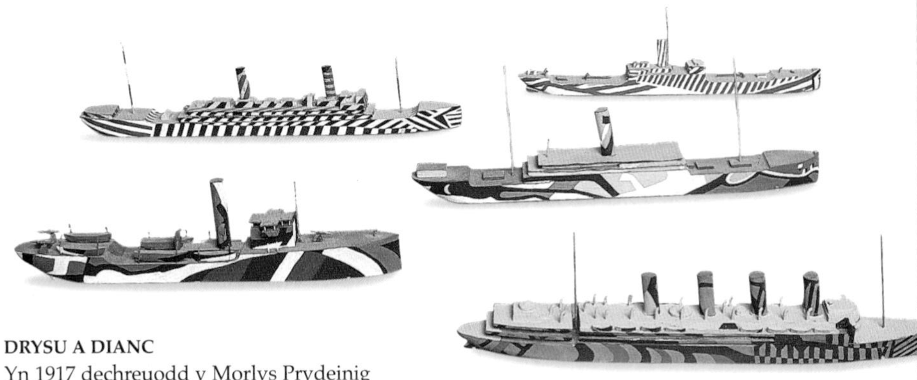

DRYSU A DIANC
Yn 1917 dechreuodd y Morlys Prydeinig beintio patrymau llachar a rhyfedd ar eu llongau masnach. Roedd y patrymau geometrig llwyd, du a glas, yn newid silwét y llong, ac yn ei gwneud hi'n anoddach i'r llongau tanfor Almaenig anelu'n gywir. Peintiwyd dros 2,700 llong fasnach a 400 o'r llongau hebrwng-confois cyn diwedd y rhyfel.

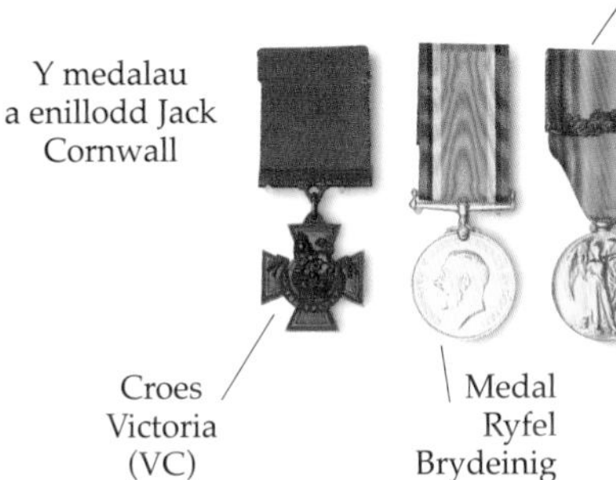

Y medalau a enillodd Jack Cornwall

Medal Fuddugoliaeth

Croes Victoria (VC)

Medal Ryfel Brydeinig

GWAS (DOSBARTH CYNTAF)
Dim ond 16 oed oedd John Travers Cornwall pan ymladdodd ym Mrwydr Jutland ar 31 Mai 1916. Roedd yn was llong (Dosbarth Cyntaf) ar HMS *Chester*, a chafodd ei anafu'n ddrwg ar ddechrau'r frwydr. O'i gwmpas roedd cyrff marw a dynion wedi'u hanafu, ond daliodd Cornwall ati tan ddiwedd y frwydr. Bu farw o'i glwyfau ar 2 Mehefin. Wedi ei farw, cafodd Groes Victoria.

LLYNGES FAWR PRYDAIN
Llynges Frenhinol Prydain oedd y fwyaf a'r grymusaf yn y byd. Roedd ganddi bolisi o sicrhau ei bod bob amser cyn gryfed â llyngesau'r ddwy wlad agosaf ati o ran cryfder – gyda'i gilydd! Prif ddyletswyddau llynges Prydain oedd cadw'r llongau Almaenig draw, a hebrwng confois o longau masnach i Brydain.

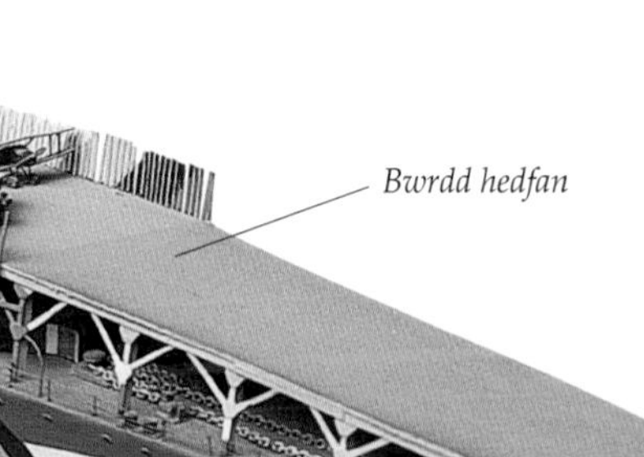

Bwrdd hedfan

HMS *FURIOUS*
Defnyddiwyd llongau awyrennau am y tro cyntaf ar 7 Gorffennaf 1918, pan hedfanodd saith Sopwith Camel o fwrdd HMS *Furious* ac ymosod ar orsaf zeppelin yn Tondern, gogledd yr Almaen, gan ddinistrio'r ddwy sied a'r ddwy Zeppelin oedd ynddyn nhw.

CERDYN BLASUS
Roedd hi weithiau'n haws ysgrifennu ar fisgedi'r fyddin Brydeinig na'u bwyta, fel y dengys y cerdyn hwn o Gallipoli.

Gallipoli

YN GYNNAR YN 1915 penderfynodd y Cynghreiriaid wthio'u ffordd drwy gulfor strategol-bwysig y Dardanelles a chipio Constantinople, prifddinas Twrci Otomanaidd. Roedd yno amddiffynfeydd cadarn, a methodd yr ymosodiadau morwrol ar 19 Chwefror ac 18 Mawrth. Ar 25 Ebrill, glaniodd milwyr Prydain, Awstralia a Seland Newydd ar benrhyn Gallipoli, tra ffug-ymosodai byddin Ffrainc tua'r de. Yn Awst, glaniwyd eto ym Mae Suvla, ar y penrhyn. Er iddyn nhw lwyddo i lanio, fe fu colledion mawr, ac roedd hi'n amhosib i'r Cynghreiriaid symud yn bell o'r traethau, am fod milwyr Twrci'n amddiffyn mor chwyrn. Wrth i'r misoedd fynd heibio, collwyd mwy a mwy o ddynion. Penderfynodd y Cynghreiriaid dynnu'n ôl yn Ionawr 1916. Roedd Twrci Otomanaidd yn dal i reoli'r Dardanelles ac yn dal yn y rhyfel.

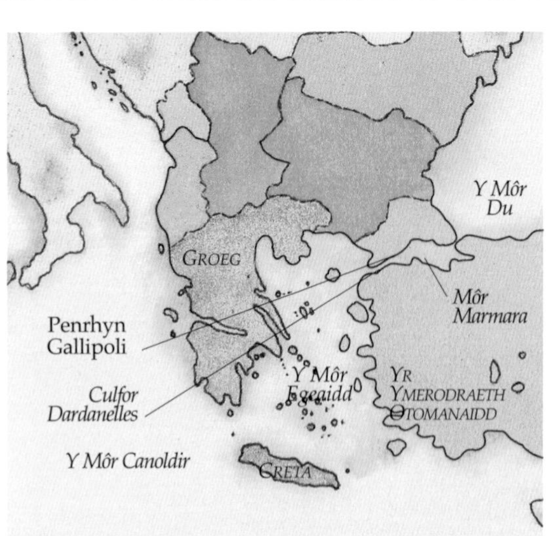

PENRHYN GALLIPOLI
Mae penrhyn Gallipoli i'r gogledd o'r Dardanelles, culfor cul sy'n cysylltu'r Môr Egeaidd â'r Môr Canoldir drwy Fôr Marmara. Byddai Prydain a Ffrainc wedi gallu cyrraedd eu cynghrair, Rwsia, drwy hwylio ar hyd y Dardanelles o'r Môr Canoldir i'r Môr Du. Ond roedd Twrci Otomanaidd, cynghrair yr Almaen, yn rheoli dwy ochr y culfor.

Y TRAETH AFIACH
Llygrwyd bwyd y ddwy ochr gan bryfed oedd yn cario afiechydon o'r cyrff marw. Roedd dysentri'n rhemp. Ym Medi 1915, roedd 78% o'r milwyr Anzac yn Ysbyty Sefydlog Awstralaidd Rhif 1 ym Mhorth Anzac (uchod) yn dioddef o'r clefyd.

Offer meddygol a brynwyd ar ei draul ei hun gan swyddog Prydeinig ar y llinell flaen

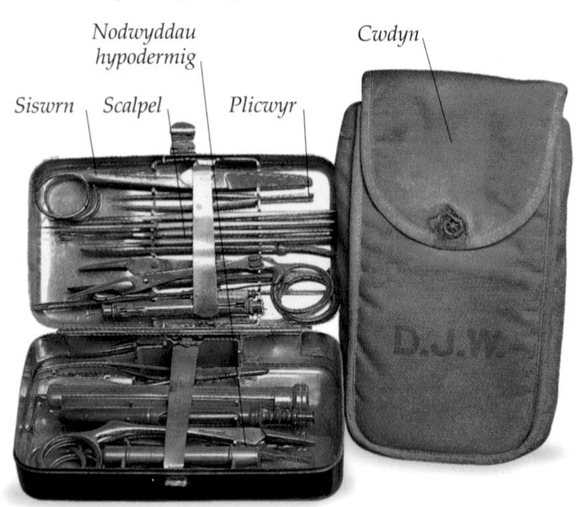

CLEIFION
Er gwaethaf ymdrech y staff meddygol, a fyddai'n aml yn cario offer llawfeddygol, roedd hi'n anodd trin a symud y cleifion o Gallipoli, am fod cymaint o ddynion yn sâl neu wedi'u hanafu.

YR ALMAEN YN HELPU
Er syndod i'r Cynghreiriaid roedd gan Gallipoli amddiffynfeydd cryf gan fod yr Almaen wedi helpu'r Tyrcïaid i'w hadeiladu. Roedd yno ffosydd, ffensys weiren bigog, a safleodd gynnau cadarn. Cafodd y Tyrcïaid bistolau modern, reifflau a gynnau peiriant gan yr Almaen.

GRENADAU GWAHANOL
Ym mrwydrau Gallipoli, roedd y ddwy ochr yn aml yn agos iawn at ei gilydd. Gallai grenâd ddinistrio safle'r gelyn. Pan oedd prinder arfau, gwnaeth y Cynghreiriaid grenadau o duniau jam.

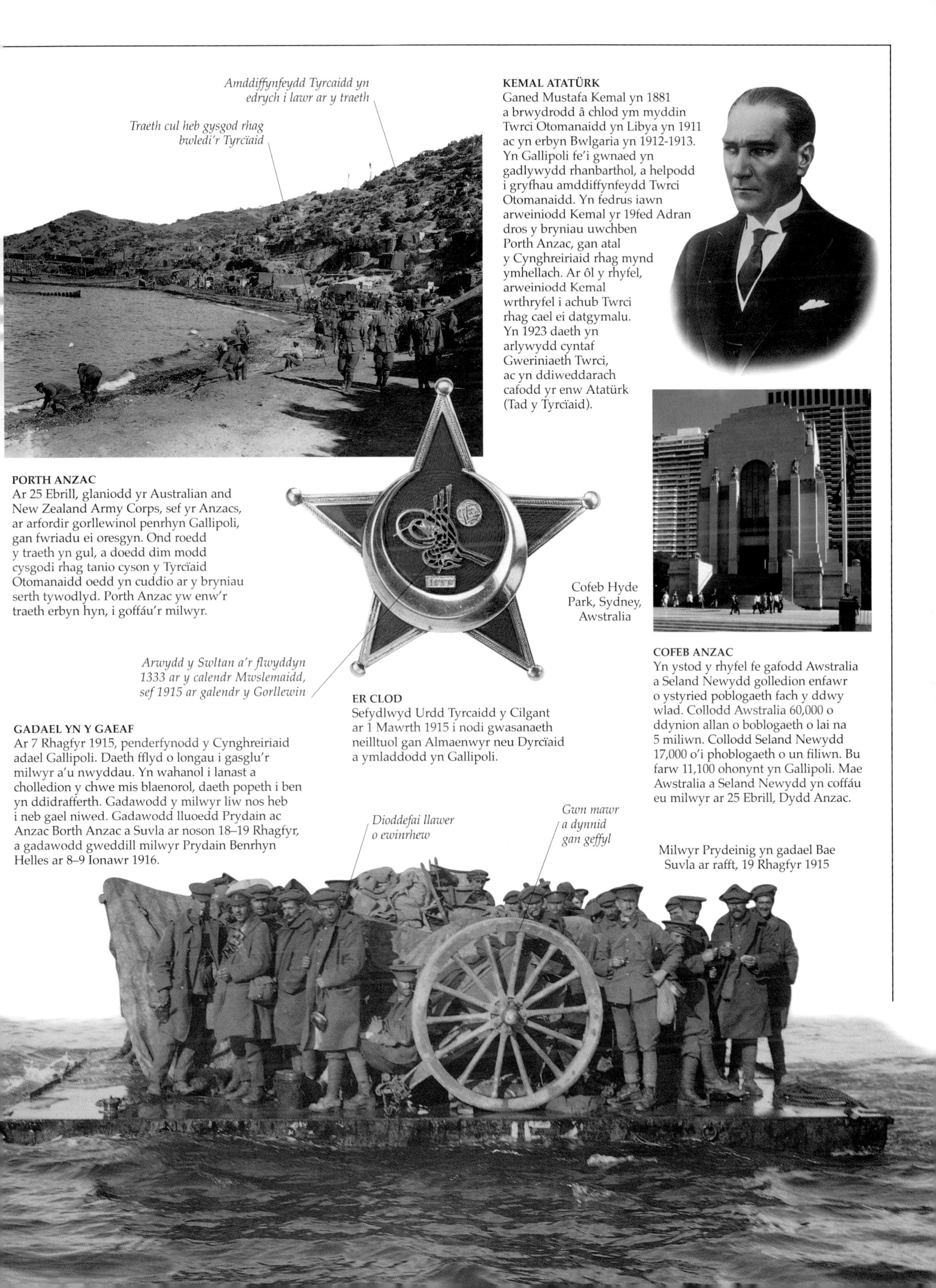

Amddiffynfeydd Tyrcaidd yn edrych i lawr ar y traeth

Traeth cul heb gysgod rhag bwledi'r Tyrcïaid

KEMAL ATATÜRK
Ganed Mustafa Kemal yn 1881 a brwydrodd â chlod ym myddin Twrci Otomanaidd yn Libya yn 1911 ac yn erbyn Bwlgaria yn 1912-1913. Yn Gallipoli fe'i gwnaed yn gadlywydd rhanbarthol, a helpodd i gryfhau amddiffynfeydd Twrci Otomanaidd. Yn fedrus iawn arweiniodd Kemal yr 19fed Adran dros y bryniau uwchben Porth Anzac, gan atal y Cynghreiriaid rhag mynd ymhellach. Ar ôl y rhyfel, arweiniodd Kemal wrthryfel i achub Twrci rhag cael ei datgymalu. Yn 1923 daeth yn arlywydd cyntaf Gweriniaeth Twrci, ac yn ddiweddarach cafodd yr enw Atatürk (Tad y Tyrcïaid).

PORTH ANZAC
Ar 25 Ebrill, glaniodd yr Australian and New Zealand Army Corps, sef yr Anzacs, ar arfordir gorllewinol penrhyn Gallipoli, gan fwriadu ei oresgyn. Ond roedd y traeth yn gul, a doedd dim modd cysgodi rhag tanio cyson y Tyrcïaid Otomanaidd oedd yn cuddio ar y bryniau serth tywodlyd. Porth Anzac yw enw'r traeth erbyn hyn, i goffáu'r milwyr.

Cofeb Hyde Park, Sydney, Awstralia

Arwydd y Swltan a'r flwyddyn 1333 ar y calendr Mwslemaidd, sef 1915 ar galendr y Gorllewin

ER CLOD
Sefydlwyd Urdd Tyrcaidd y Cilgant ar 1 Mawrth 1915 i nodi gwasanaeth neilltuol gan Almaenwyr neu Dyrcïaid a ymladdodd yn Gallipoli.

COFEB ANZAC
Yn ystod y rhyfel fe gafodd Awstralia a Seland Newydd golledion enfawr o ystyried poblogaeth fach y ddwy wlad. Collodd Awstralia 60,000 o ddynion allan o boblogaeth o lai na 5 miliwn. Collodd Seland Newydd 17,000 o'i phoblogaeth o un filiwn. Bu farw 11,100 ohonynt yn Gallipoli. Mae Awstralia a Seland Newydd yn coffáu eu milwyr ar 25 Ebrill, Dydd Anzac.

GADAEL YN Y GAEAF
Ar 7 Rhagfyr 1915, penderfynodd y Cynghreiriaid adael Gallipoli. Daeth fflyd o longau i gasglu'r milwyr a'u nwyddau. Yn wahanol i lanast a cholledion y chwe mis blaenorol, daeth popeth i ben yn ddidrafferth. Gadawodd y milwyr liw nos heb i neb gael niwed. Gadawodd lluoedd Prydain ac Anzac Borth Anzac a Suvla ar noson 18–19 Rhagfyr, a gadawodd gweddill milwyr Prydain Benrhyn Helles ar 8–9 Ionawr 1916.

Dioddefai llawer o ewinrhew

Gwn mawr a dynnid gan geffyl

Milwyr Prydeinig yn gadael Bae Suvla ar rafft, 19 Rhagfyr 1915

Verdun

TAI'N LLOSGI
Ar 25 Chwefror, gadawyd hen ddinas Verdun yn wag. Difrodwyd sawl adeilad gan y gynnau mawr, a dinistriwyd llawer mwy gan y tanau a losgai am ddyddiau. Er i'r dynion tân wneud eu gorau, roedd gan lawer o dai fframiau pren a losgai'n hawdd.

AR 21 CHWEFROR 1916, lansiodd yr Almaen ymosodiad chwyrn ar Verdun, tref gaerog yn Ffrainc. Safai Verdun ger y ffin â'r Almaen a rheolai'r fynedfa i ddwyrain Ffrainc. Ar ôl bombardio'r dref am wyth awr, ymosododd troedfilwyr yr Almaen gan gipio rhai o'r prif gaerau cyn i'r Ffrancod gael cyfle i baratoi. Ond dros yr haf ymladdodd y Ffrancod yn ffyrnig ac erbyn Rhagfyr, roedden nhw wedi gwthio'r Almaenwyr yn ôl i'w man cychwyn. Lladdwyd neu clwyfwyd dros 400,000 o Ffrancod a 336,831 o Almaenwyr. Yn ôl y Cadfridog Almaenig Falkenhayn, roedd wedi bwriadu gwaedu Ffrainc i farwolaeth. Ond methu wnaeth e, ac fe gollodd yr Almaen 774,153 o ddynion y flwyddyn honno, gan gynnwys y rhai a gollwyd ym Mrwydr y Somme.

Y CADFRIDOG PÉTAIN
Daeth y Cadfridog Henri-Philippe Pétain yn ben ar fyddin Ffrainc yn Verdun ar 25 Chwefror, y diwrnod y collwyd Caer Douaumont. Fe wnaeth drefniadau effeithiol i amddiffyn y dref a chyflenwi'r fyddin. "Ils ne passeront pas!" (Chân nhw ddim mynd heibio!) oedd ei neges, a gododd galon y Ffrancod.

CAER DOUAUMONT
Roedd tri chylch o amddiffynfeydd gan Verdun. Caer Douaumont yn y cylch allanol, oedd y gaer gryfaf. Fe'i hadeiladwyd o ddur a choncrit gyda rhagfuriau, ffosydd a rholiau o weiren bigog o'i chwmpas. Ond er bod y gaer yn gryf, dim ond 56 hen filwr oedd yn ei gwarchod. Cipiwyd hi gan yr Almaenwyr ar 25 Chwefror.

LE POILU
Llysenw troedfilwr Ffrainc oedd *le poilu* (yr un blewog). Y poilus ddygodd bwysau'r ymosodiad Almaenig, gan ddioddef mwd, oerfel, glaw ac anafiadau erchyll gan fwledi a nwy gwenwynig.

Llun cefndir: y dinistr yn Verdun, 1915

WYNEB YN WYNEB
Roedd brwydr Verdun yn arbennig o ffyrnig wrth i'r ddwy ochr ymosod ac ailymosod ar y caerau a'r safleoedd strategol. Taniai'r peiriant-saethwyr yn y caerau'n ddibaid ar yr ymosodwyr. Roedd y tir yn agored, a chyrff yn pydru gan na allai neb eu casglu. Roedd rhwydwaith o dwneli dan y caerau, lle'r ymladdai'r milwyr wyneb yn wyneb. Gwnaed sawl ffilm ddramatig am y rhyfel. Dyma ffotograff o un o'r ffilmiau.

> *"Dyna lanast gwaedlyd, dyna olygfeydd erchyll, dyna laddfa. Does dim geiriau all ddisgrifio 'nheimladau. Mae'n waeth nag Uffern."*
>
> **ALBERT JOUBAIRE**
> MILWR FFRENGIG, VERDUN, 1916

PENTREFI CYFAGOS
Cipiwyd sawl pentref Ffrengig gan yr Almaenwyr ar y ffordd i Verdun. Roedd y dinistr mor erchyll, ni chafodd pentref Ornes (uchod) ac wyth pentref arall, eu hailadeiladu. Mae enw Ornes yn dal ar y map i goffáu'r digwyddiad.

Torch lawryf

Torch o ddail derwen

Pen Marianne, arwyddlun Ffrainc

LÉGION D'HONNEUR
Fe gyflwynodd arlywydd Ffrainc, Raymond Poincaré, y *Légion d'Honneur* i ddinas Verdun i nodi dioddefaint ei phobl. Gwobr am ddewrder a gyflwynir i wŷr a gwragedd, yn filwyr neu'n sifiliaid, yw hon fel arfer.

UFFERN Y MWD
Mae'r tir o gwmpas Verdun yn fryniog a choediog, gyda nifer o nentydd yn llifo i'r afon Meuse. O achos y glaw trwm a'r bombardio dibaid, fe drodd y tir yn llanast mwdlyd, lle gorweddai'r marw mewn tyllau siel, a'r byw yn bwyta a chysgu yn eu hymyl. Dyma ffotograff o'r "Ravine de la mort", Ceunant Marwolaeth.

Ymosodiad nwy

Helmed "Hypo" Prydeinig

AR BRYNHAWN 22 EBRILL 1915, sylwodd milwyr Algeria-Ffrengig ger Ypres yng Ngwlad Belg, ar gwmwl gwyrdd-felyn yn symud tuag atyn nhw o ffrynt yr Almaenwyr. Nwy clorin oedd y cwmwl. Dyma'r tro cyntaf i nwy gwenwynig gael ei ddefnyddio'n effeithiol mewn rhyfel. Pan gyrhaeddodd y nwy'r Cynghreiriaid, fe baniciodd llawer o'r milwyr, achos doedd dim modd amddiffyn eu hunain rhag y nwy taglyd. Dros y tair blynedd nesaf, defnyddiodd y ddwy ochr nwy – gollyngodd yr Almaenwyr tua 68,000 tunnell fetrig a gollyngodd Prydain a Ffrainc 51,000. Câi'r cymylau nwy cyntaf eu gollwng o duniau, a'r gwynt fyddai'n eu chwythu at y gelyn. Ond weithiau byddai'r gwynt yn newid, gan achosi problemau. Roedd sieliau'n llawn nwy yn fwy effeithiol. Dioddefodd 1,200,000 o filwyr o'r ddwy ochr o effeithiau nwy, a bu farw 91,198 ohonynt mewn poenau erchyll.

RHYBUDD CYNNAR
Roedd y mygydau gwrth-nwy cyntaf yn elfennol iawn, fel y dengys y lluniau hyn a ddarparwyd gan ysgol hyfforddi Brydeinig. Gwisgid gogls syml am y llygaid, a phadiau o wlanen neu ddeunydd tebyg dros y geg. Roedd cemegion yn y padiau i niwtraleiddio'r nwy.

Gogls Prydeinig gwrth-nwy

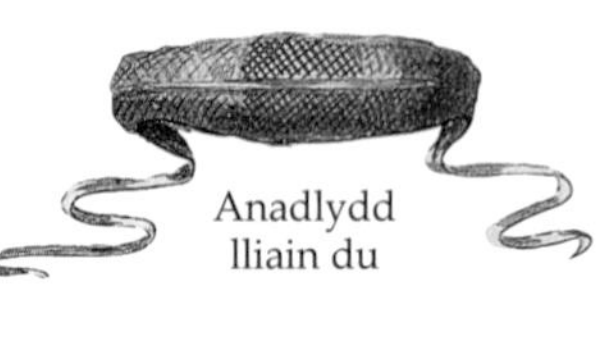

Anadlydd lliain du

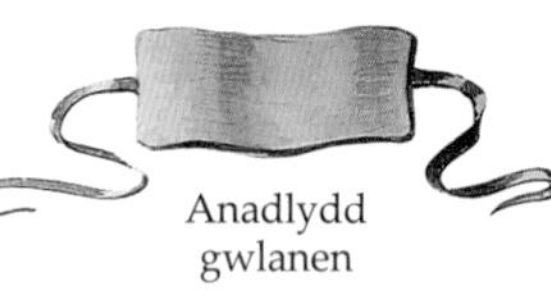

Anadlydd gwlanen

HELMEDAU NWY
Erbyn canol y rhyfel, roedd y ddwy ochr yn gwisgo helmedau, a gynhwysai fwgwd wyneb, gogls ac anadlydd. Roedd yr helmed yn gwarchod y llygaid, y trwyn a'r gwddw rhag y nwy marwol.

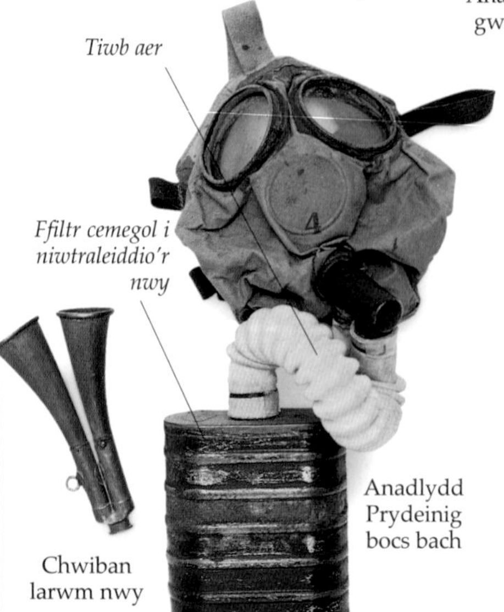

Anadlydd Prydeinig bocs bach

Chwiban larwm nwy

GASSED!
Mae *Gassed*, llun o filwyr go iawn a beintiwyd gan yr arlunydd Americanaidd John Singer Sargent yn dangos effaith erchyll y nwy. Mae'r milwyr a ddallwyd gan nwy yn cael eu harwain yn ofalus gan eu cydfilwyr i orsaf driniaeth ger Arras yng ngogledd Ffrainc yn Awst 1918.

Dagreuol

Ffosgen a deuffosgen

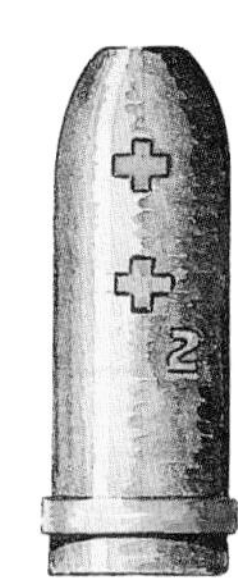

Deuffosgen ac olew tisian

Deuffosgen

Nwy mwstard

SIELIAU NWY
Roedd y nwy hylifol yn y sieliau hyn yn anweddu ar drawiad. Roedd gwahanol nwyon yn achosi problemau gwahanol, Roedd clorin, deuffosgen a ffosgen yn achosi trafferthion anadlu, ac roedd bensoil bromid yn tynnu dŵr i'r llygaid. Roedd deugloroethylsylffid yn llosgi a chodi pothelli ar y croen, ac yn dallu dros dro. Os anadlid y nwy hwn, byddai'n boddi'r ysgyfaint a'r claf yn marw o niwmonia.

Maneg wedi crebachu dan effaith nwy

Maneg gyffredin

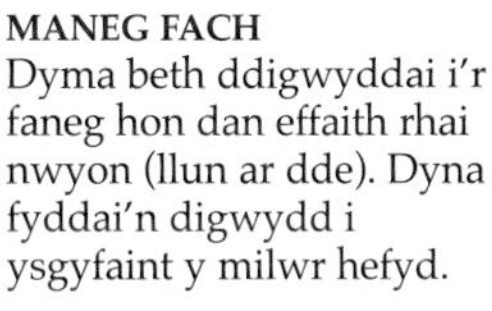

MANEG FACH
Dyma beth ddigwyddai i'r faneg hon dan effaith rhai nwyon (llun ar dde). Dyna fyddai'n digwydd i ysgyfaint y milwr hefyd.

DAN YMOSODIAD
Byddai'r nwy'n effeithio ar yr wyneb a'r llygaid yn gyntaf, ond, mewn eiliadau, byddai'n cyrraedd y gwddw, a'r milwyr yn pesychu a thagu. Roedd yr effeithiau hir-dymor yn amrywio o nwy i nwy – roedd rhai milwyr yn marw'n syth, rhai'n cael eu dallu am byth, rhai'n cael pothelli poenus ar y croen, a rhai'n marw'n ara bach wrth i'w hysgyfaint lenwi â hylif. Gogls ac anadlydd un-darn oedd yr unig amddiffyniad. Ffotograffwyd y milwyr Americanaidd hyn gan yr Uwchgapten Tracy Evert yn 1918. Actio maen nhw i ddangos canlyniadau anghofio'ch mwgwd nwy. Câi'r llun ei ddangos i recriwtiaid newydd.

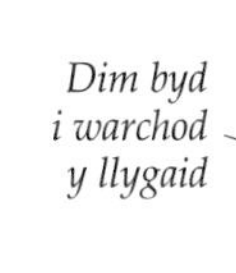

Mwgwd nwy Almaenig

Dim byd i warchod y llygaid

Anadlydd â gorchudd cynfas

GOFAL ANIFAIL
Roedd pob creadur byw yn dioddef o effaith nwy, gan gynnwys y miloedd o geffylau oedd yn cario dynion, offer a nwyddau o le i le. Mae'r marchog Almaenig hwn a'i geffyl yn gwisgo mygydau, ond does dim i warchod llygaid y ceffyl.

Ffrynt y Dwyrain

PAN FYDDWN NI'N TRAFOD Y RHYFEL BYD CYNTAF, meddwl am y ffosydd ar Ffrynt y Gorllewin fyddwn ni fel arfer. Ond yn nwyrain Ewrop, ymladdwyd rhyfel gwahanol iawn rhwng yr Almaen ac Awstria-Hwngari ar y naill ochr a Rwsia ar y llall. Roedd hwn yn rhyfel symudol, a byddinoedd mawr yn martsio dros gannoedd o gilomedrau. Oherwydd diffyg arweiniad ac arfau, dioddefodd byddinoedd Awstria-Hwngari a Rwsia golledion mawr. Yn 1915, collodd Rwsia ddwy filiwn o ddynion. Cymerwyd miliwn o'r rhain yn garcharorion. Roedd byddin yr Almaen, dan arweiniad medrus y Cadfridog Hindenburg, yn llawer mwy effeithiol. Erbyn diwedd 1916, er i Rwsia gael peth llwyddiant, yr Almaenwyr oedd yn rheoli Ffrynt y Dwyrain. Digalonnodd y Rwsiaid, a dyna, i raddau, pam y cafwyd chwyldro yn Rwsia yn 1917.

TANNENBERG, 1914
Yn Awst 1914 ymosododd Byddinoedd Cyntaf ac Ail Rwsia ar Ddwyrain Prwsia, yn yr Almaen. Gan nad oedd eu negeseuon mewn cod, roedd yr Almaenwyr yn barod amdanyn nhw. Amgylchynwyd yr Ail Fyddin yn Tannenberg, ac ildiodd ar 31 Awst, gan golli 150,000 o ddynion a'i gynnau mawr i gyd (uchod.)

LLYNNOEDD MASURIAN, 1914
Ym Medi 1914 martsiodd Byddin Gyntaf Rwsia i Lynnoedd Masurian, Dwyrain Prwsia. Roedd hithau mewn perygl o gael ei hamgylchynu, fel y digwyddodd i'r Ail Fyddin yn Tannenberg fis yn gynt. Cloddiodd yr Almaenwyr ffosydd ac amddiffynfeydd (uchod), ac ymosod ar y Rwsiaid. Ciliodd y Rwsiaid ar ôl colli 100,000 o ddynion. Erbyn diwedd Medi, roedd bygythiad y Rwsiaid ar ben.

LLWYDDIANT CYNNAR
Yn ystod 1914 concrodd byddin Rwsia ranbarth Galisia, yn nwyrain Awstria-Hwngari, gan achosi colledion mawr i fyddin y wlad honno. Ond yn 1915 daeth milwyr ychwanegol o'r Almaen (uchod) a gwthio'r Rwsiaid yn ôl i'w gwlad.

GWRTHOD YMLADD
Erbyn diwedd 1916, roedd llawer o filwyr Rwsia'n gwrthod brwydro. Dioddefent o gamdriniaeth, prinder arfau, arweinwyr gwael a newyn. Doedden nhw ddim yn credu yn y rhyfel, felly pam dylen nhw fentro'u bywydau? Roedd rhaid i'r swyddogion fygwth y milwyr a'u gorfodi i ymladd. Fe gafwyd sawl miwtini, ond dianc adre wnaeth miloedd o'r milwyr.

Isod: Milwyr Rwsia ar eu ffordd i amddiffyn dinas Przemysl, Galisia, Awstria, a gipiwyd ganddynt

Ffrynt yr Eidal

Ar 23 Mai 1915, ymunodd yr Eidal â'r rhyfel o blaid y Cynghreiriaid, a pharatoi i ymosod ar ei chymydog, Awstria-Hwngari. Fe ymladdwyd ar ddau ffrynt – gogledd a dwyrain. Yn y gogledd ymladdodd yr Eidal yn Trentino, rhanbarth o Awstria-Hwngari Eidaleg ei hiaith, ac yn y dwyrain ar hyd afon Isonzo. Roedd y fyddin Eidalaidd yn brin o hyfforddiant ac arfau, ac yn methu torri drwy amddiffynfeydd Awstria. Llwyddodd o'r diwedd ym Mrwydr Vittorio-Veneto, Hydref 1918.

YR ISONZO
Ffurfiai afon Isonzo ffin naturiol rhwng mynyddoedd Awstria-Hwngari a gwastadeddau gogledd yr Eidal. Rhwng Mehefin 1915 ac Awst 1917, ymladdodd y ddwy ochr 11 brwydr gyfartal ar hyd yr afon, cyn i'r Awstriaid, gyda help yr Almaen, gael buddugoliaeth bendant yn Caporetto, Rhagfyr 1917.

MILWYR Y MYNYDD
Heblaw am tua 32 km (20 milltir), rhedai'r ffin 640-km (400-milltir) rhwng yr Eidal ac Awstria-Hwngari drwy'r Alpau Eidalaidd. Hyfforddodd y ddwy ochr filwyr i ymladd yn y mynyddoedd. Gosodwyd gorsafoedd gwylio a safleoedd gynnau ar gopa sawl mynydd.

Rhyfel yn yr anialwch

YMESTYNNAI'R RHYFEL BYD CYNTAF y tu hwnt i ffiniau Ewrop. Goresgynnwyd trefedigaethau Almaenig yn Affrica gan fyddinoedd Ffrainc, Prydain a De Affrica, a goresgynnwyd trefedigaethau Almaenig yn China a'r Môr Tawel gan fyddinoedd Japan, Prydain, Awstralia a Seland Newydd. Bu brwydro mawr yn y Dwyrain Canol. Yno roedd Ymerodraeth Twrci Otomanaidd yn rheoli Mesopotamia (Irac fodern), Palestina, Syria ac Arabia. Ymosododd milwyr Prydain ac India ar Fesopotamia yn 1914 a chipio Baghdad o'r diwedd yn 1917. Yn y cyfamser, cipiwyd Palestina gan fyddin fawr Brydeinig, dan arweiniad y Cadfridog Allenby, ac yn wythnosau olaf y rhyfel, cipiwyd Damascus, prifddinas Syria. Yn Arabia, fe wrthryfelodd milwyr Bedwyn, dan arweiniad T.E. Lawrence, yn erbyn eu llywodraethwyr, y Tyrcïaid, gan ymladd rhyfel gerila i sicrhau annibyniaeth i'r Arabiaid.

PAD CEFN
Ofnai'r fyddin Brydeinig y byddai'i milwyr yn dioddef o effaith gwres yr anialwch. Felly fe ddosbarthwyd padiau i warchod eu cefnau rhag yr haul. Go brin y byddai'r pad trwm anghyffyrddus wedi cadw'r milwr yn oer.

Gwn carreg fflint Arabaidd

Reiffl Lawrence

Llythrennau cyntaf enw Lawrence

DOD ADRE
Roedd reiffl T.E. Lawrence yn un o nifer o reifflau Prydeinig a gipiwyd gan y Tyrcïaid yn Gallipoli, 1915. Cyflwynwyd hi gan Weinidog Rhyfel Twrci, Enver Pasha, i'r arweinydd Arabaidd, Emir Feisal, a'i rhoddodd yn ôl i Lawrence yn Rhagfyr 1916.

LAWRENCE O ARABIA
Mae'r milwr Prydeinig T.E.Lawrence, a aned yn Nhremadog, yn ffigwr rhamantus a chwedlonol, bron. Ei lysenw oedd *Lawrence of Arabia*. Ymwelodd â'r Dwyrain Canol yn 1909, a dysgu siarad Arabeg. Yn 1914 bu'n ysbïwr i'r fyddin yn Cairo, yr Aifft. Yn ddiweddarach gweithiodd fel swyddog cyswllt i Emir Feisal, arweinydd y gwrthryfel Arabaidd yn erbyn rheolaeth Twrci Otomanaidd. Helpodd Lawrence yr Arabiaid i ddysgu sgiliau cudd-ymladd, gan chwythu rheilffyrdd i fyny, ymosod ar y garsiynau Tyrcaidd ac achosi problemau i fyddin llawer iawn mwy o faint na'u byddin nhw.

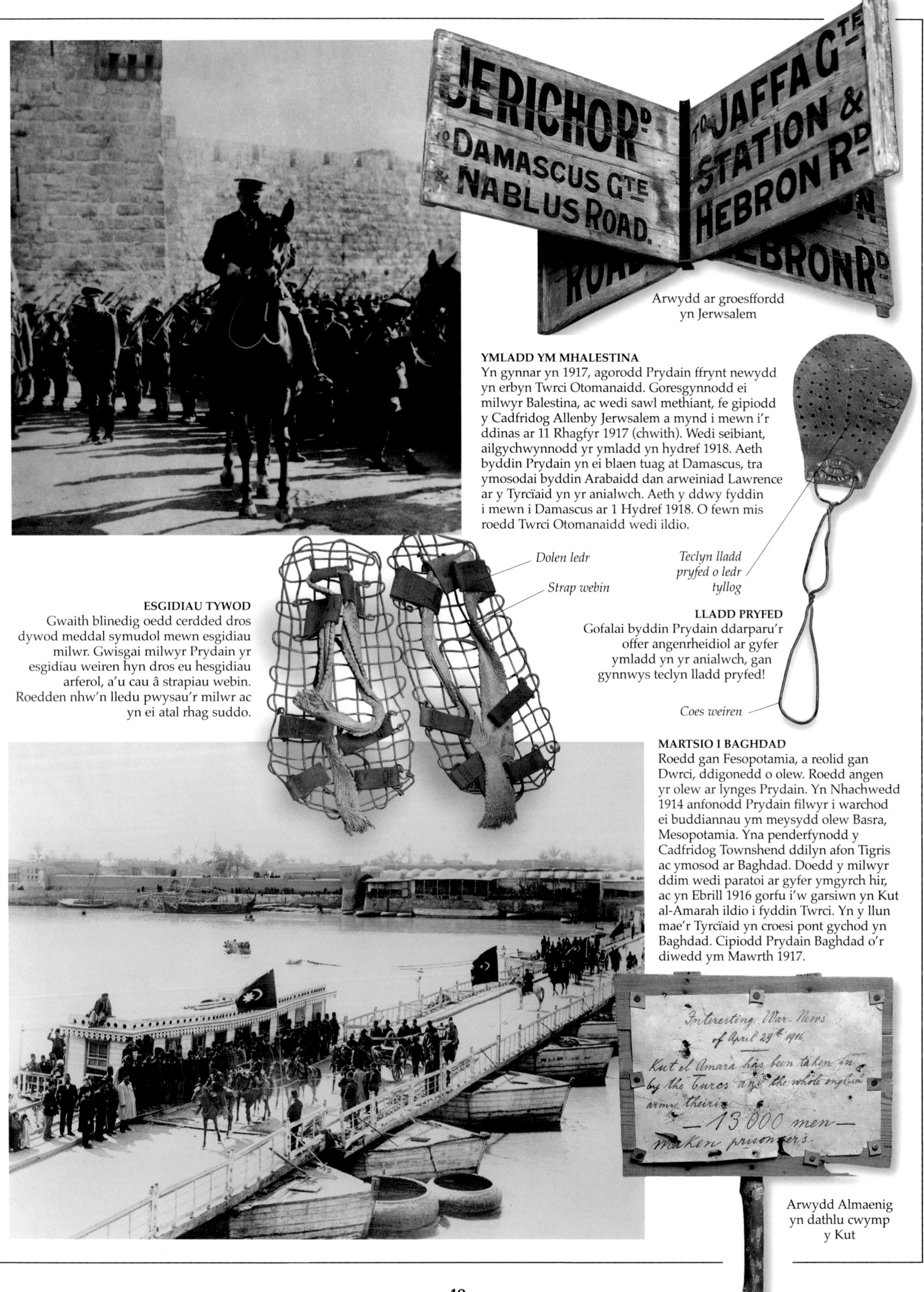

Arwydd ar groesffordd yn Jerwsalem

YMLADD YM MHALESTINA
Yn gynnar yn 1917, agorodd Prydain ffrynt newydd yn erbyn Twrci Otomanaidd. Goresgynnodd ei milwyr Balestina, ac wedi sawl methiant, fe gipiodd y Cadfridog Allenby Jerwsalem a mynd i mewn i'r ddinas ar 11 Rhagfyr 1917 (chwith). Wedi seibiant, ailgychwynnodd yr ymladd yn hydref 1918. Aeth byddin Prydain yn ei blaen tuag at Damascus, tra ymosodai byddin Arabaidd dan arweiniad Lawrence ar y Tyrcïaid yn yr anialwch. Aeth y ddwy fyddin i mewn i Damascus ar 1 Hydref 1918. O fewn mis roedd Twrci Otomanaidd wedi ildio.

ESGIDIAU TYWOD
Gwaith blinedig oedd cerdded dros dywod meddal symudol mewn esgidiau milwr. Gwisgai milwyr Prydain yr esgidiau weiren hyn dros eu hesgidiau arferol, a'u cau â strapiau webin. Roedden nhw'n lledu pwysau'r milwr ac yn ei atal rhag suddo.

LLADD PRYFED
Gofalai byddin Prydain ddarparu'r offer angenrheidiol ar gyfer ymladd yn yr anialwch, gan gynnwys teclyn lladd pryfed!

MARTSIO I BAGHDAD
Roedd gan Fesopotamia, a reolid gan Dwrci, ddigonedd o olew. Roedd angen yr olew ar lynges Prydain. Yn Nhachwedd 1914 anfonodd Prydain filwyr i warchod ei buddiannau ym meysydd olew Basra, Mesopotamia. Yna penderfynodd y Cadfridog Townshend ddilyn afon Tigris ac ymosod ar Baghdad. Doedd y milwyr ddim wedi paratoi ar gyfer ymgyrch hir, ac yn Ebrill 1916 gorfu i'w garsiwn yn Kut al-Amarah ildio i fyddin Twrci. Yn y llun mae'r Tyrcïaid yn croesi pont gychod yn Baghdad. Cipiodd Prydain Baghdad o'r diwedd ym Mawrth 1917.

Arwydd Almaenig yn dathlu cwymp y Kut

Ysbiwyr

ROEDD Y NAILL OCHR yn credu fod y llall yn defnyddio cannoedd o ysbiwyr i gasglu gwybodaeth am symudiadau'r gelyn. Ond gwrando ar negeseuon oedd prif waith ysbïwr, yn hytrach na mentro ar dir y gelyn. Roedd cryptograffeg, neu ddarllen negeseuon cod, yn bwysig iawn, gan fod y ddwy ochr yn gyrru negeseuon o'r fath dros radio neu delegraff. Cynlluniai'r cryptograffwyr godau cymhleth iawn i sicrhau bod eu negeseuon yn cyrraedd yn ddiogel. Ar yr un pryd defnyddient eu sgiliau i ddehongli negeseuon y gelyn. Drwy sgiliau o'r fath fe ddehonglodd ysbiwyr Prydain delegram Zimmermann o Berlin i Washington yn Ionawr 1917, gan ysgogi UDA i ymuno â'r rhyfel yn Ebrill 1917.

Cortyn ysgafn ond cryf yn cysylltu'r aderyn â'r parasiwt

Corsed o liain cwiltiog i warchod yr aderyn

POST COLOMENNOD
Yn ystod y rhyfel defnyddiwyd dros 500,000 o golomennod i gario negeseuon rhwng yr ysbiwyr a'u pencadlys. Ar ôl i'r adar ddisgyn ar barasiwt, byddai'r ysbiwyr yn eu casglu ac yn gofalu amdanyn nhw nes oedd ganddyn nhw wybodaeth i'w hanfon adre. Hedfanai'r colomennod yn ôl i'w llofftydd â'r negeseuon ar eu coesau.

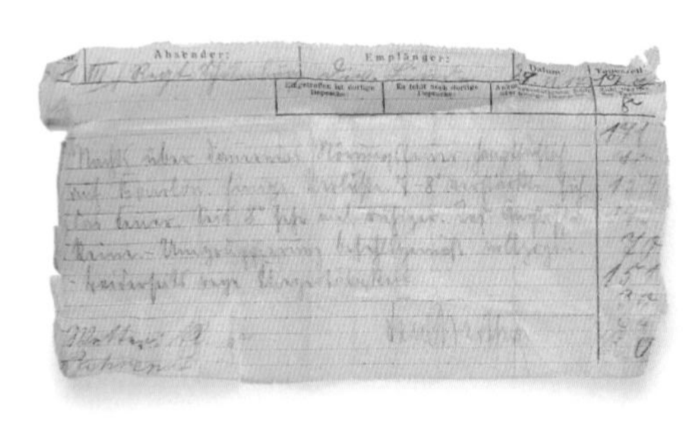

NODYN BYR
Allai colomennod ddim cario llawer o bwysau, felly defnyddid darnau bach o bapur. Mae'r neges hon, yn Almaeneg, wedi'i hysgrifennu ar un o ffurflenni "post colomennod" byddin yr Almaen. Câi neges hir ei lleihau i faint microdot gan gamera arbennig. Roedd y dot 300 gwaith yn llai na'r gwreiddiol.

EDITH CAVELL
Ganed Edith Cavell yn Lloegr a gweithiodd fel athrawes deulu yng Ngwlad Belg yn yr 1890au cynnar cyn hyfforddi fel nyrs yn Lloegr. Yn 1907 aeth yn ôl i Wlad Belg i gychwyn ysgol nyrsio ym Mrwsel (uchod). Pan oresgynnwyd y ddinas gan yr Almaenwyr yn Awst 1914, penderfynodd aros, gan roi llety i tua 200 o filwyr Prydain a oedd, fel hithau, yn digwydd bod y tu ôl i linellau'r gelyn. Fe'i harestiwyd gan yr Almaenwyr ar gyhuddiad o "arwain milwyr at y gelyn". Fe'i chafwyd yn euog a'i saethu yn Hydref 1915. Doedd hi ddim yn ysbïwraig, ond fe ddefnyddiodd y Cynghreiriaid yr achos fel propaganda.

Tu blaen y botwm

Neges mewn cod ar gefn y botwm

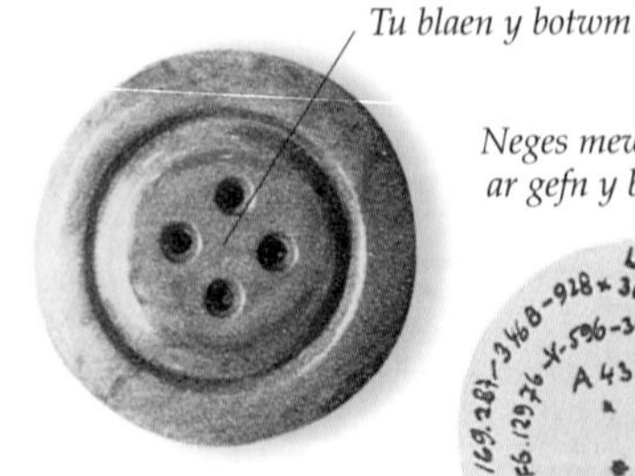

NEGES FOTWM
Gellid cuddio neges god mewn lle bach di-nod. Câi negeseuon eu stampio ar gefn botymau, a'u rhoi ar siaced.

INC DIRGEL
Defnyddiwyd inc anweledig i sgrifennu negeseuon. Pan gâi'r papur ei drin â chemegion, ymddangosai'r neges.

Inc anweledig Almaenig a sbwng

Potel o inc anweledig

CAMERA POCED
Câi camerâu bach eu cuddio mewn poced neu mewn watsh ffug. Defnyddiwyd y camera ysbïwr hwn yn Nwyrain Affrica Almaenig (Tanzania nawr).

DARLLEN Y GELYN
Roedd archwilio a dehongli dogfennau a gipiwyd o law'r gelyn yn rhan bwysig iawn o waith swyddogion cudd-ymchwil y fyddin, fel y milwr Prydeinig hwn. Drwy ddarllen pob darn o wybodaeth yn fanwl, câi'r gwasanaethau cudd-ymchwil ddarlun clir o baratoadau'r gelyn. Gallent hefyd asesu ysbryd y boblogaeth a throsglwyddo'r wybodaeth i arweinwyr y fyddin.

DAL YSBIWYR
Cafodd rhai ysbiwyr eu dal. Daeth dau draw o'r Iseldiroedd i Portsmouth, Lloegr, i ysbïo ar ran yr Almaen. Roedden nhw'n esgus bod yn fewnforwyr sigarau, ac yn rhoi gwybodaeth mewn cod am y llongau yn harbwr Portsmouth ar eu ffurflenni archeb. Fe'u daliwyd a'u dienyddio yn 1915.

HELP I DDIANC
Gyrrwyd y tun hwn i'r Lefftenant Prydeinig Jack Shaw yng Ngwersyll Rhyfel Almaenig Holzminden yn 1918. Ynddo, yn lle cig, roedd mapiau, torwyr weiren, a chwmpawdau i helpu Shaw a nifer o filwyr eraill i ddianc o'r gwersyll.

MATA HARI
Dawnswraig enwog oedd Margaretha Zelle o'r Iseldiroedd. Ei llysenw oedd Mata Hari. Roedd llawer o'i chariadon yn ddynion pwysig, a throsglwyddai'r wybodaeth a gâi ganddyn nhw i'r gwasanaethau cudd. Yn 1914, pan oedd yn dawnsio ym Mharis, fe'i recriwtiwyd gan wasanaethau cudd Ffrainc. Aeth i Madrid, lle ceisiodd ddenu diplomat Almaenig. Ond rhoddodd hwnnw wybodaeth ffug iddi, a phan ddychwelodd i Ffrainc, fe'i harestiwyd a'i chael yn euog o weithio i'r Almaenwyr. Fe'i saethwyd yn Hydref 1917.

Ymladd â thanciau

DYFAIS BRYDEINIG NEWYDD sbon oedd y tanc. Fe'i defnyddiwyd am y tro cyntaf ym Medi 1916, ond doedd y tanciau cynnar ddim yn ddibynadwy iawn. Brwydr Cambrai, yn Nhachwedd 1917, oedd y cyfle cyntaf i brofi'u gwerth. Roedd amddiffynfeydd yr Almaenwyr yn gryf iawn yno, a byddai bombardiad gan y gynnau mawr wedi difetha'r tir a'i gwneud yn amhosib i'r troedfilwyr groesi. Ymosododd fflyd o danciau, gan wasgu'r weiren bigog yn fflat, croesi ffosydd y gelyn, a chysgodi'r ymosodwyr. Chwaraeodd tanciau ran bwysig yn ymosodiadau'r Cynghreiriaid drwy gydol 1918.

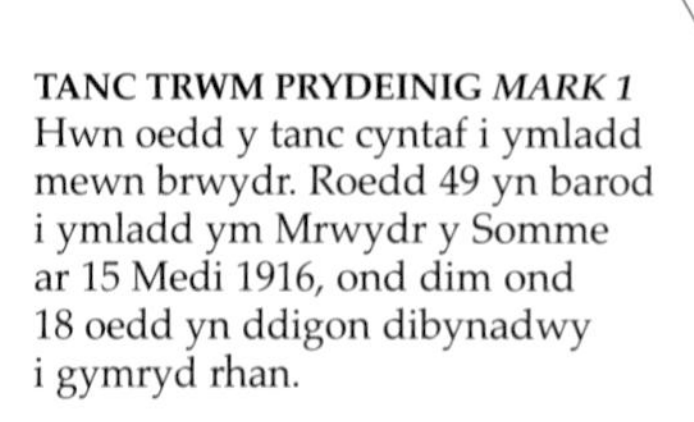

TANC TRWM PRYDEINIG *MARK 1*
Hwn oedd y tanc cyntaf i ymladd mewn brwydr. Roedd 49 yn barod i ymladd ym Mrwydr y Somme ar 15 Medi 1916, ond dim ond 18 oedd yn ddigon dibynadwy i gymryd rhan.

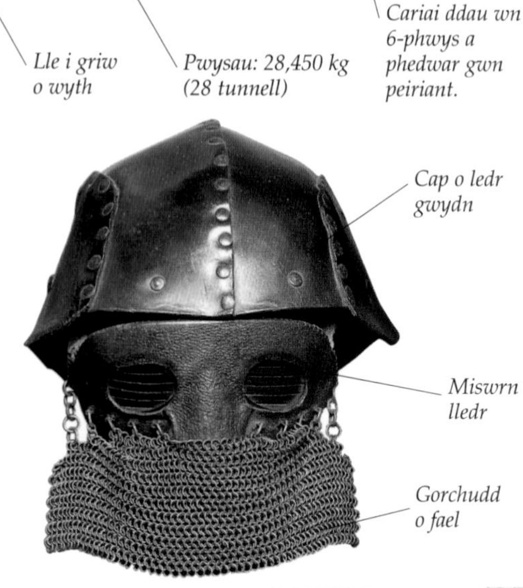

CADW'N DDIOGEL
Yn y tanciau byddai'r milwr Prydeinig yn gwisgo helmed ledr, mwgwd wyneb a gorchudd o fael dros y geg. Roedd y miswrn yn gwarchod rhag y darnau o fetel poeth oedd yn tasgu y tu mewn i'r tanc, pan gâi ei daro â bwled.

Tanc A7V Almaenig

TANC A7V
Yr A7V oedd yr unig danc a adeiladodd yr Almaenwyr yn ystod y rhyfel. Roedd yn beiriant enfawr 33,500-kg (33-tunnell), â 6 gwn peiriant a chriw o 18. Dim ond 20 a adeiladwyd, ac erbyn iddyn nhw ymuno â'r rhyfel yng ngwanwyn 1918, roedd yn rhy hwyr i wneud argraff.

Tanc Prydeinig *Mark V*

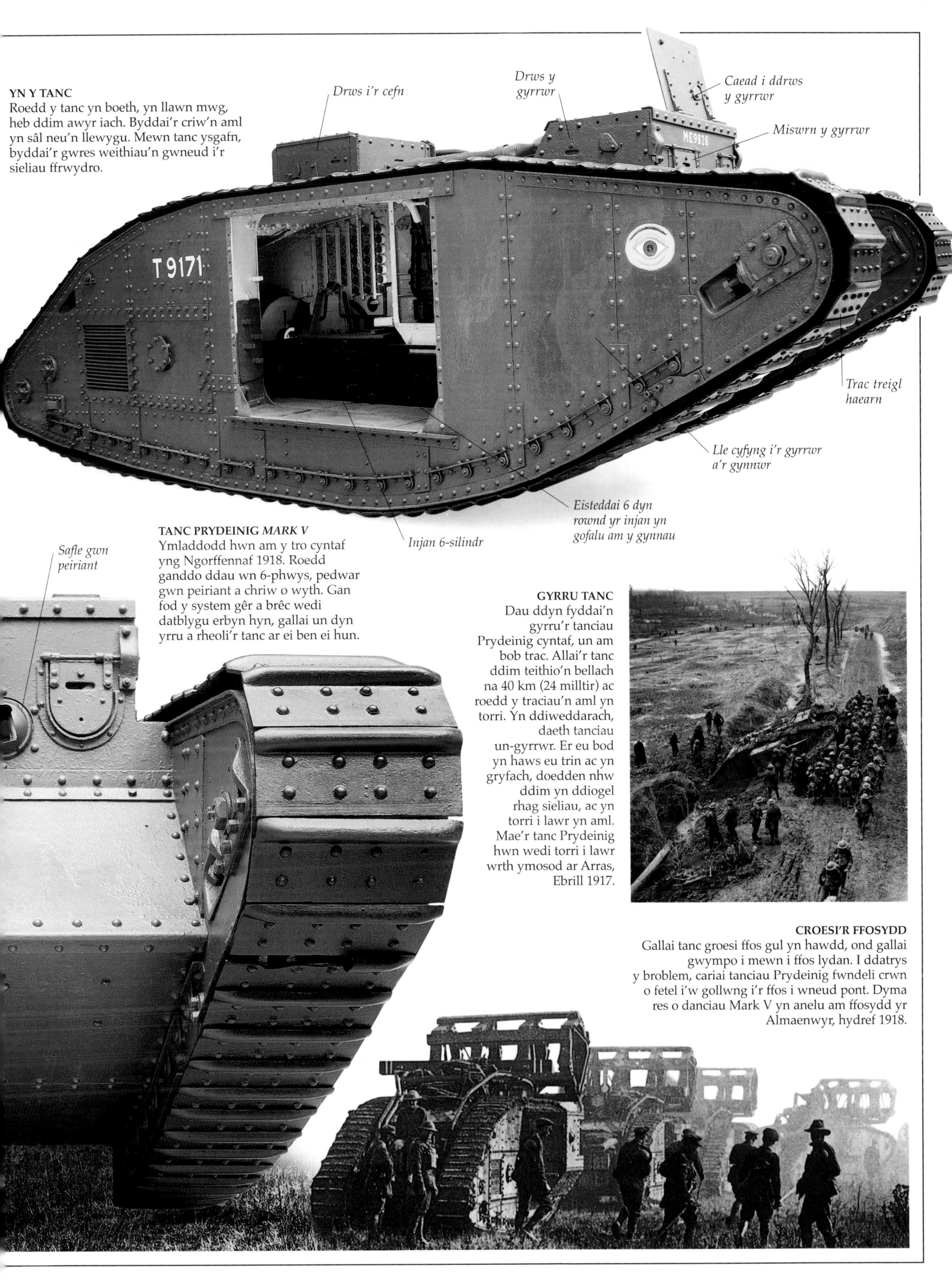

YN Y TANC
Roedd y tanc yn boeth, yn llawn mwg, heb ddim awyr iach. Byddai'r criw'n aml yn sâl neu'n llewygu. Mewn tanc ysgafn, byddai'r gwres weithiau'n gwneud i'r sieliau ffrwydro.

TANC PRYDEINIG *MARK V*
Ymladdodd hwn am y tro cyntaf yng Ngorffennaf 1918. Roedd ganddo ddau wn 6-phwys, pedwar gwn peiriant a chriw o wyth. Gan fod y system gêr a brêc wedi datblygu erbyn hyn, gallai un dyn yrru a rheoli'r tanc ar ei ben ei hun.

GYRRU TANC
Dau ddyn fyddai'n gyrru'r tanciau Prydeinig cyntaf, un am bob trac. Allai'r tanc ddim teithio'n bellach na 40 km (24 milltir) ac roedd y traciau'n aml yn torri. Yn ddiweddarach, daeth tanciau un-gyrrwr. Er eu bod yn haws eu trin ac yn gryfach, doedden nhw ddim yn ddiogel rhag sieliau, ac yn torri i lawr yn aml. Mae'r tanc Prydeinig hwn wedi torri i lawr wrth ymosod ar Arras, Ebrill 1917.

CROESI'R FFOSYDD
Gallai tanc groesi ffos gul yn hawdd, ond gallai gwympo i mewn i ffos lydan. I ddatrys y broblem, cariai tanciau Prydeinig fwndeli crwn o fetel i'w gollwng i'r ffos i wneud pont. Dyma res o danciau Mark V yn anelu am ffosydd yr Almaenwyr, hydref 1918.

Yr Unol Daleithiau'n ymuno

PAN GYCHWYNNODD y rhyfel yn Ewrop yn Awst 1914, arhosodd UDA yn niwtral. Achosodd y rhyfel raniadau mawr yn y wlad, gan fod llawer o'i dinasyddion newydd gyrraedd o Ewrop ac yn gryf o blaid y naill ochr neu'r llall. Ond pan ddechreuodd llongau tanfor Almaenig suddo llongau Americanaidd, dechreuodd pobl droi yn erbyn yr Almaen. Yn Chwefror 1917, penderfynodd yr Almaen ymosod ar bob llong dramor i atal nwyddau rhag cyrraedd Prydain. Hefyd, fe anogodd wlad Mecsico i ymosod ar ei chymydog, UDA, er mwyn tynnu sylw oddi ar Ewrop. Cynddeiriogodd llywodraeth yr Unol Daleithiau, ac wrth i ragor o longau Americanaidd gael eu suddo, cyhoeddodd yr Arlywydd Wilson ryfel yn erbyn yr Almaen.

UNCLE SAM
Seiliodd yr arlunydd James Montgomery Flagg y cartŵn hwn ar lun ohono'i hun. Mae *Uncle Sam* yn cynrychioli pob Americanwr. Roedd y poster yn dynwared poster Kitchener (gw. tud. 14). O dan y bys roedd y geiriau "I WANT YOU FOR THE US ARMY".

Medal Brydeinig sy'n awgrymu bod yr ymosodiad ar *SS Lusitania* yn fwriadol

SS *LUSITANIA*
Ar 7 Mai 1915 suddwyd y llong deithwyr *SS Lusitania* gan dorpidos Almaenig oddi ar arfordir Iwerddon. Credai'r Almaenwyr fod y llong yn cario arfau. Roedd y llong ar ei ffordd o Efrog Newydd, UDA, i Lerpwl, Lloegr. Boddodd tri chwarter y teithwyr, gan gynnwys 128 o ddinasyddion America. O ganlyniad ochrodd llawer o boblogaeth UDA â'r Cynghreiriaid.

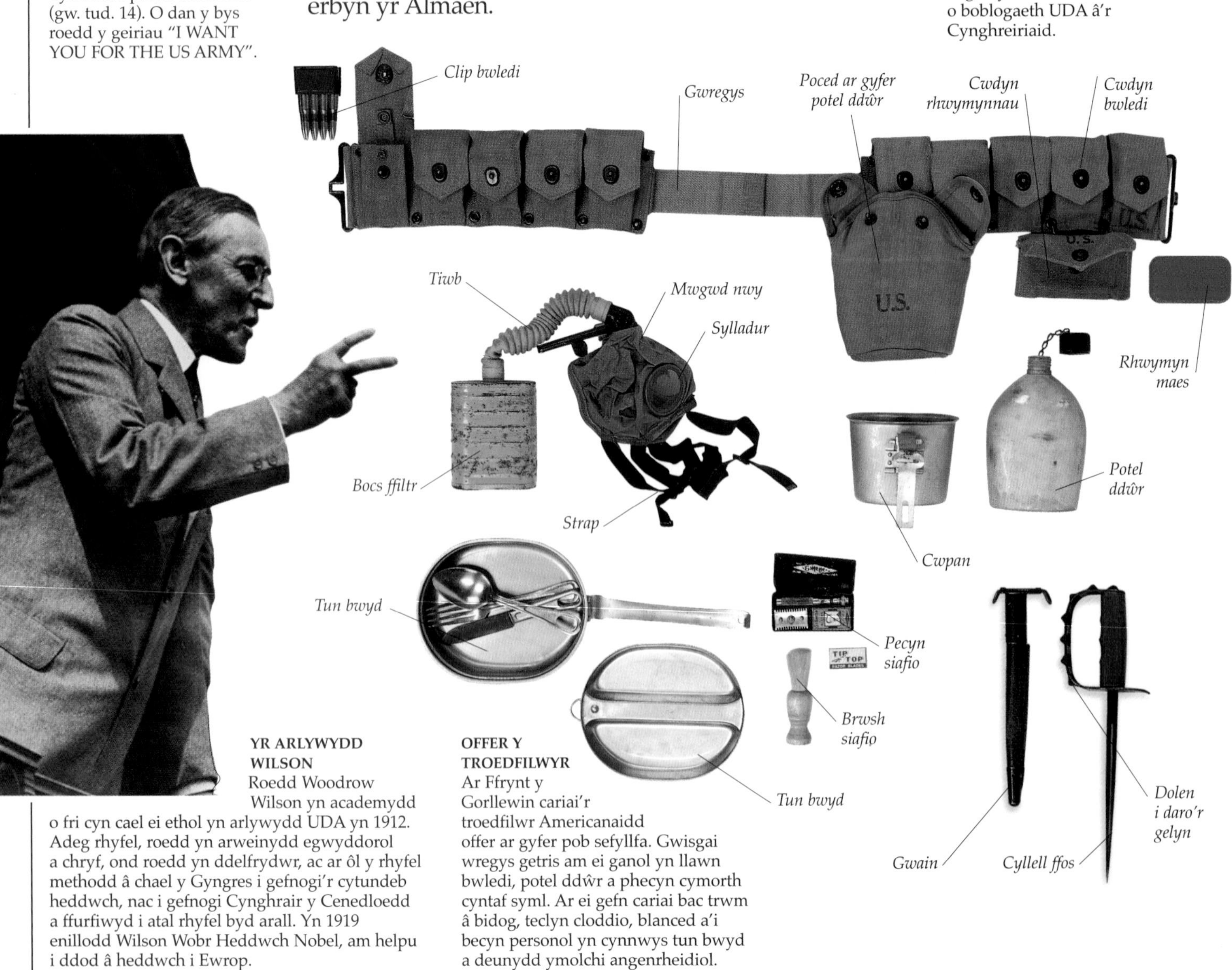

YR ARLYWYDD WILSON
Roedd Woodrow Wilson yn academydd o fri cyn cael ei ethol yn arlywydd UDA yn 1912. Adeg rhyfel, roedd yn arweinydd egwyddorol a chryf, ond roedd yn ddelfrydwr, ac ar ôl y rhyfel methodd â chael y Gyngres i gefnogi'r cytundeb heddwch, nac i gefnogi Cynghrair y Cenedloedd a ffurfiwyd i atal rhyfel byd arall. Yn 1919 enillodd Wilson Wobr Heddwch Nobel, am helpu i ddod â heddwch i Ewrop.

OFFER Y TROEDFILWYR
Ar Ffrynt y Gorllewin cariai'r troedfilwr Americanaidd offer ar gyfer pob sefyllfa. Gwisgai wregys getris am ei ganol yn llawn bwledi, potel ddŵr a phecyn cymorth cyntaf syml. Ar ei gefn cariai bac trwm â bidog, teclyn cloddio, blanced a'i becyn personol yn cynnwys tun bwyd a deunydd ymolchi angenrheidiol.

TANIO
Y tro cyntaf i Fyddin Gyntaf UDA ymladd bwydr o bwys oedd ar 12-16 Medi 1918 yn St Mihiel, i'r de o Verdun, Ffrainc, pan fu'n helpu'r Cynghreiriaid i ymosod ar linellau'r Almaenwyr. Dyma griw'n tanio gwn maes 75-mm ((2.9 modfedd), a chasyn siel yn hedfan drwy'r awyr.

AM DDEWRDER
Drwy orchymyn yr Arlywydd yn 1918, bathwyd medal i nodi dewrder arbennig yn wyneb gelyn arfog: y *Distinguished Service Cross*.

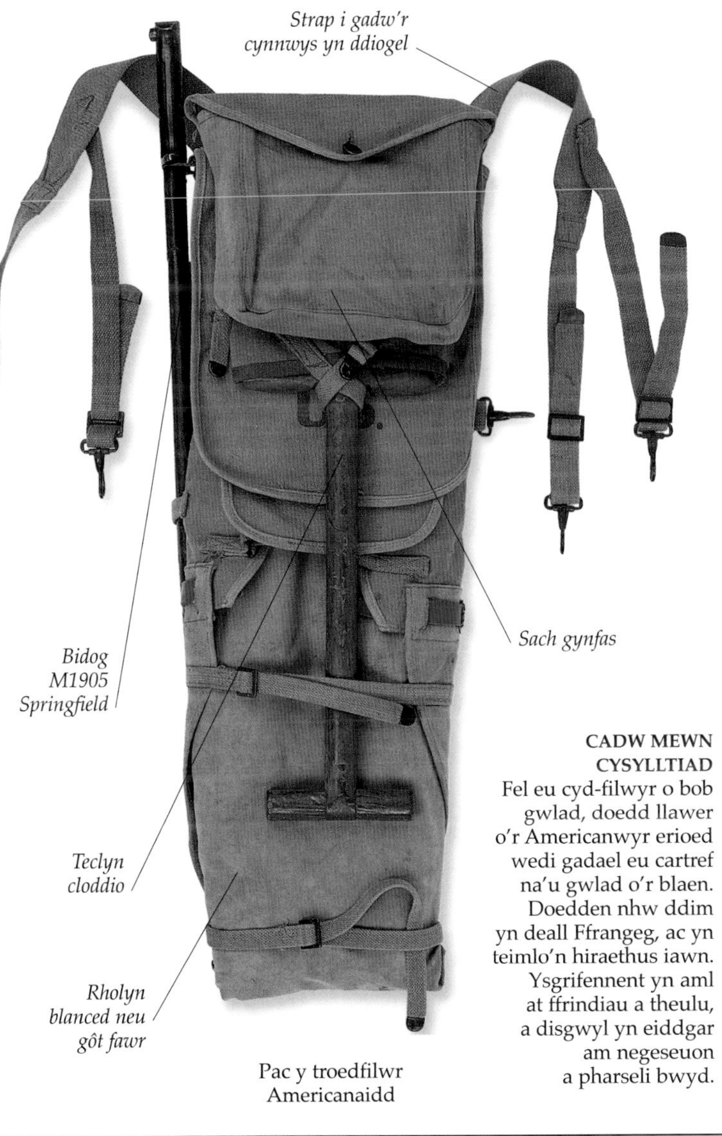

Pac y troedfilwr Americanaidd

CADW MEWN CYSYLLTIAD
Fel eu cyd-filwyr o bob gwlad, doedd llawer o'r Americanwyr erioed wedi gadael eu cartref na'u gwlad o'r blaen. Doedden nhw ddim yn deall Ffrangeg, ac yn teimlo'n hiraethus iawn. Ysgrifennent yn aml at ffrindiau a theulu, a disgwyl yn eiddgar am negeseuon a pharseli bwyd.

O dan linellau'r gelyn

ACHUB RHAG NWY
Gallai ymosodiad nwy neu siel yrru cymylau o nwy drwy dwnnel, gan fygu'r dynion. Dyma offer anadlu Almaenig a ddefnyddid gan griwiau achub.

AR FFRYNT Y GORLLEWIN treuliai'r ddwy ochr gyfnodau hir yn y ffosydd, yn wynebu'i gilydd. Gan fod amddiffynfeydd y ffosydd mor gadarn, roedd hi'n anodd iawn eu goresgyn, felly aeth peirianwyr ati i gloddio oddi tanynt. Recriwtiodd byddin Prydain lowyr, gan gynnwys nifer sylweddol o Gymru, a'r 'cicwyr-clai' a arferai gloddio twneli tanddaearol Llundain. Roedd gan yr Almaenwyr eu mwynwyr eu hunain. Cloddiodd y ddwy ochr dwneli a phyllau ymhell o dan ffosydd y gelyn a'u llenwi â ffrwydron a gâi'u tanio ar ddechrau ymosodiad. Hefyd cloddiai'r mwynwyr i mewn i dwneli'r gelyn er mwyn eu difetha. Weithiau byddai mwynwyr y ddwy ochr yn ymladd o dan ddaear. Taniwyd ffrwydron tanddaearol enfawr gan Brydain ym Mrwydr y Somme ar 1 Gorffennaf 1916 – ac yn fwy effeithiol fyth o dan Grib Messines ar gychwyn Brwydr Passchendaele.

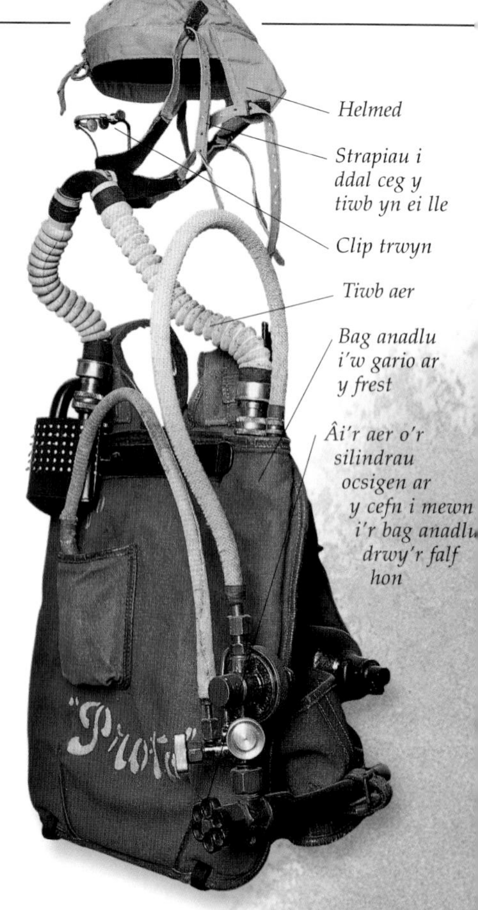

OCSIGEN
Mae'r peiriant anadlu Prydeinig hwn yn debyg i'r un Almaenig ar y chwith. Roedd ocsigen cywasgedig yn y bag a châi ei ryddhau drwy'r tiwbiau aer i helpu'r cloddiwr i anadlu.

CLODDWYR AR WAITH
Dyma lun gan yr arlunydd Prydeinig David Bomberg yn dangos aelodau'r Peirianwyr Brenhinol (y *Sappers*), yn cloddio a chryfhau twnnel. Gofalai'r Sappers fod ffosydd a thwneli'n gryf ac yn gadarn.

Llun cefndir: Ffrwydrad tanddaearol o dan linellau'r Almaenwyr yn Mrwydr y Somme, 1 Gorffennaf 1916.

"Mae'n erchyll. Yn aml rydych chi'n teimlo fel marw. Does dim cysgod. Rydyn ni'n gorwedd mewn dŵr . . . a'n dillad byth yn sychu."

MILWR ALMAENIG, PASSCHENDAELE, 1917

YN Y DŴR
Roedd y pridd mor wlyb ger Ypres, fe godwyd y ffosydd uwchben y ddaear, drwy wneud waliau o bridd a bagiau tywod. Serch hynny, roedd y ffosydd a'r pyllau wastad yn llawn o ddŵr, a rhaid oedd pympio'n ddi-baid i gael gwared ohono. Dyma dwnelwyr o Awstralia'n pympio yn Hooge, Gwlad Belg, Medi 1917.

Passchendaele

Yn ystod 1917 cynlluniodd Prydain ymosodiad mawr ar linell flaen yr Almaenwyr ger Ypres, Gwlad Belg. Y bwriad oedd ymestyn yn bellach i mewn i'r wlad a chipio porthladdoedd y Sianel i atal llongau tanfor Almaenig rhag ymosod ar longau Prydain. Cychwynnodd Brwydr Messines ar 7 Mehefin 1917. Ar ôl bombardiad enfawr, yn union ar yr un pryd taniwyd 19 ffrwydryn yn cynnwys miliwn tunnell o ffrwydron o dan y llinellau Almaenig ar Grib Messines. Clywyd y sŵn yn Llundain 220 km (140 milltir) i ffwrdd. Cipiwyd crib y bryn yn fuan iawn, ond methodd Prydain â chymryd mantais yn syth. Roedd glaw trwm Awst a Hydref wedi troi maes y frwydr yn llanast o fwd. Cipiwyd pentref a chrib Passchendaele o'r diwedd ar 10 Tachwedd 1917, ond fe'u collwyd y mis Mawrth dilynol. Yn haf 1918 cipiodd y Cynghreiriaid y tir a dal eu gafael arno.

LLANAST O FWD
Roedd y glaw trwm a'r sielio cyson yn Passchendaele wedi creu llanast peryglus o fwd. Bu farw llawer o'r milwyr clwyfedig yn y mwd, gan fethu llusgo'u ffordd allan. Roedd hi'n anodd eu cario ar stretsier i'r gorsafoedd trin clwyfau. Ysgrifennodd y bardd Prydeinig Siegfried Sassoon: *"I died in hell – (They called it Passchendaele)"*.

Isod: Lluoedd Prydeinig yn symud dros y mwd ym Mrwydr Passchendaele

Y flwyddyn derfynol

YN GYNNAR YN 1918, ymddangosai fod yr Almaen a'i chynghreiriaid yn ennill. Gan fod Rwsia wedi gadael y rhyfel, gallai'r Almaen ganolbwyntio ar Ffrynt y Gorllewin. Hefyd roedd mwyafrif y milwyr Americanaidd yn dal heb gyrraedd Ffrainc. Ymosododd yr Almaen yn chwyrn ym Mawrth, nes cyrraedd o fewn 64 km (40 milltir) i Baris. Ond y tu ôl i'r llinellau roedd yr Almaen yn dioddef. Gan fod yr Cynghreiriaid wedi gosod môr-warchae ar ei phorthladdoedd, roedd hi'n brin o nwyddau angenrheidiol. Roedd y rheilffyrdd mewn cyflwr gwael a bwyd yn brin. Fe gafwyd sawl streic a miwtini. Mewn mannau eraill, fe goncrwyd Twrci Otomanaidd a Bwlgaria gan y Cynghreiriaid, a chafodd yr Eidal fuddugoliaeth dyngedfennol yn erbyn Awstria-Hwngari. Erbyn dechrau Tachwedd, roedd yr Almaen ar ei phen ei hun. Ar 7 Tachwedd daeth dirprwyaeth Almaenig dros y ffin i drafod heddwch. Roedd y rhyfel bron ar ben.

ARWEINYDD NEWYDD
Yn 1917 daeth Vladimir Lenin, arweinydd Plaid y Bolsieficiaid (Comiwnyddion), yn llywodraethwr newydd Rwsia. Roedd e'n gwrthwynebu'r rhyfel, a rhoddodd orchymyn i atal saethu ar unwaith.

Milwyr yr Almaen a Rwsia yn dathlu diwedd y brwydro ar Ffrynt y Dwyrain, 1917

Rwsia'n tynnu'n ôl

Wrth i'r rhyfel fynd yn ei flaen, daeth llywodraeth Rwsia'n fwy a mwy amhoblogaidd. Roedd y fyddin wedi diflasu ar ôl cymaint o fethiannau, ac erbyn dechrau 1917 roedd llawer o'r milwyr yn cyfeillachu â'r Almaenwyr ar hyd Ffrynt y Dwyrain. Mewn chwyldro yn Chwefror 1917, cafwyd gwared o'r Tsar, ond daliodd y llywodraeth newydd i frwydro. Yn dilyn ail chwyldro yn Hydref daeth y Blaid Bolsieficaidd i rym, a threfnu cytundeb â'r Almaen. Ym Mawrth 1918 arwyddodd Rwsia Gytundeb Brest-Litovsk a gadael y rhyfel.

YMOSODIAD LUDENDORFF
Ar 21 Mawrth 1918 lansiodd y Cadfridog Ludendoff ymosodiad enfawr a sydyn ar Ffrynt y Gorllewin, gan obeithio concro Prydain a Ffrainc cyn i filwyr UDA gyrraedd. Llwyddodd i gipio bron 62 km (40 milltir) erbyn Gorffennaf, ond fe gollodd 500,000 o ddynion.

Milwyr Ffrainc a Phrydain yn ystod Ymosodiad Ludendorff

8 Ionawr Yr Arlywydd Wilson, UDA, yn cyhoeddi 14 Pwynt Heddwch
3 Mawrth Cytundeb Brest-Litovsk – Rwsia'n gadael y Rhyfel
21 Mawrth Ymosodiad Ludendorff ar Ffrynt y Gorllewin
15 Gorffennaf Ymosodiad ola'r Almaen ar y Ffrynt
18 Gorffennaf Ffrainc yn taro'n ôl ar y Marne
8 Awst Prydain yn ymosod ger Amiens
12 Medi UDA yn ymosod yn St Mihiel
14 Medi Cynghreiriaid yn ymosod ar Fwlgaria o Groeg
25 Medi Bwlgaria'n gofyn am heddwch

BRWYDR Y MARNE
Ar 18 Gorffennaf 1918, dan arweiniad y Cadfridog Foch, fe ataliodd lluoedd Ffrainc ac UDA yr Almaenwyr ar yr afon Marne i'r dwyrain o Baris, a'u gwthio'n ôl tua'r dwyrain. Erbyn 6 Awst, roedd yr Almaen wedi colli 168,000 o ddynion. Claddwyd llawer ar y meysydd brwydr (chwith). O'r diwedd roedd y rhyfel yn troi o blaid y Cynghreiriaid.

Milwyr Ffrainc yn ceisio darganfod enwau'r Almaenwyr cyn eu claddu

CROESI'R LLINELL
Ar 8 Awst 1918, ymosododd Prydain yn chwyrn ger Amiens. Gan fod byddin yr Almaen yn brin o ddynion a nwyddau, yn enwedig bwyd, fedren nhw ddim gwrthsefyll. Aeth milwyr y Cynghreiriaid yn eu blaen tuag at Linell Hindenburg, a adeiladwyd gan yr Almaenwyr fel ffos gref wrth gefn. Ar 29 Medi cipiodd 46th North Midland Division Prydain bont Riqueval dros gamlas St Quentin. Tynnwyd llun i ddathlu. Roedden nhw wedi torri'r Llinell o'r diwedd.

Doedd llawer o blant ddim yn cofio bywyd cyn i'r Almaenwyr feddiannu eu hardaloedd.

Llun cefndir: milwyr yr Almaen yn ymosod ar y Somme, Ebrill 1918

Plant Ffrengig yn martsio ochr yn ochr â'r Cynghreiriaid

Y DYDDIAU OLAF
Erbyn 5 Hydref roedd byddinoedd y Cynghreiriaid wedi torri drwy Linell Hindenburg o un pen i'r llall ac yn croesi tir agored. Lladdwyd a niweidiwyd llawer ar y ddwy ochr wrth i fyddin yr Almaen gael ei gwthio tua'r dwyrain. Ailgipiodd Prydain a Ffrainc drefi a dinasoedd a gollwyd yn 1914 gan gynnwys Lille (chwith). Ddechrau Tachwedd 1918 ailgipiwyd Mons, lle'r oedden nhw wedi tanio bwledi cyntaf y Rhyfel yn Awst 1914. Roedd yr Almaenwyr mewn anhrefn llwyr erbyn hyn.

27 Medi Prydain yn torri Llinell Hindenburg
28 Medi Ludendorff yn annog y Kaiser i ofyn am heddwch
1 Hydref Prydain yn cipio Damascus
6 Hydref Llywodraeth yr Almaen yn trafod cadoediad
21 Hydref Tsiecoslofacia'n cyhoeddi annibyniaeth
24 Hydref Brwydr Vittorio-Veneto: yr Eidal yn fuddugol
29 Hydref Miwtini gan lynges yr Almaen
30 Hydref Twrci Otomanaidd yn cytuno ar gadoediad
4 Tachwedd Awstria-Hwngari'n cytuno ar gadoediad
9 Tachwedd Kaiser yn ildio'i goron
11 Tachwedd Diwedd y Rhyfel

Cadoediad a heddwch

TRAFOD MEWN CERBYD
Ar 7 Tachwedd 1918, croesodd dirprwyaeth Almaenig, dan arweiniad Matthias Erzberger, un o weinidogion y llywodraeth, y llinell flaen. Cyfarfu â phencadlywydd y Cynghreiriaid, y Marsial Foch, yn ei gerbyd trên yng nghoedwig Compiègne. Am 5 ar fore 11 Tachwedd, arwyddodd y ddwy ochr gytundeb cadoediad a ddaeth i rym ymhen 6 awr.

AM 11 O'R GLOCH AR FORE'R 11FED DIWRNOD O'R 11FED MIS YN 1918, tawodd gynnau Ewrop ar ôl dros bedair blynedd o ryfel. Roedd problemau heddwch mor ddwys â phroblemau rhyfel. Roedd yr Almaen wedi gofyn am gadoediad (stopio tanio) er mwyn trafod cytundeb heddwch. Doedd hi ddim wedi ildio, ond roedd llawer iawn o'i milwyr wedi ildio, ac roedd miwtini yn y llynges. Roedd y Cynghreiriaid am sicrhau na fyddai'r Almaen yn mynd i ryfel byth eto. Yn dilyn y cytundeb heddwch, ail-gynlluniwyd map Ewrop gan orfodi'r Almaen i dalu iawndal sylweddol i'r Cynghreiriaid. Sicrhawyd fod byddinoedd yr Almaen yn llai ac yn wannach, a chollodd yr Almaen lawer o diroedd, gan gynnwys pob un o'i threfedigaethau tramor.

The New York Times.

ARMISTICE SIGNED, END OF THE WAR! BERLIN SEIZED BY REVOLUTIONISTS; NEW CHANCELLOR BEGS FOR ORDER; OUSTED KAISER FLEES TO HOLLAND

WAR ENDS AT 6 O'CLOCK THIS MORNING

The State Department in Washington Made the Announcement at 2:45 o'Clock.

ARMISTICE WAS SIGNED IN FRANCE AT MIDNIGHT

GERMAN DYNASTIES BEING WIPED OUT

MORE WARSHIPS JOIN THE REDS

FFOADURIAID
Yn ystod y rhyfel collodd llawer o bobl, fel y Lithwaniaid hyn, eu cartrefi. Ar ddiwedd y rhyfel aeth miloedd o ffoaduriaid – Ffrancod, Belgiaid, Eidalwyr a Serbiaid yn bennaf – yn ôl i wledydd a ryddhawyd o afael y Pwerau Canolog. Hefyd roedd rhaid trefnu i 6.5 miliwn o garcharorion rhyfel fynd adre. Gorffennwyd y dasg gymhleth hon erbyn hydref 1919.

LLEDAENU'R NEWYDDION
O fewn munudau roedd hanes y cadoediad wedi gwibio rownd y byd, drwy gyfrwng papurau newydd a thelegramau. Yn mhob tref a phentref roedd cymdogion yn rhannu'r newyddion da.

VIVE LA PAIX!
Ym Mharis (isod), fe ymunodd milwyr Ffrainc, Prydain ac UDA â'r bobl leol a gorymdeithio drwy'r ddinas. Yn Llundain, dawnsiai gwragedd a phlant ar y strydoedd wrth i'r dynion baratoi i ddod adre. Roedd yr ymateb yn yr Almaen yn gymysgedd o sioc a rhyddhad am fod yr ymladd ar ben o'r diwedd.

CYTUNDEB VERSAILLES
Arwyddwyd y cytundeb heddwch yn Neuadd y Drychau, Palas Versailles ger Paris, ar 28 Mehefin 1919. Mae'r llun gan Syr William Orpen yn dangos pedwar arweinydd y Cynghreiriaid yn gwylio'r dirprwyon Almaenig yn arwyddo'r cytundeb a ddaeth â grym ymerodrol yr Almaen i ben yn Ewrop. Daethai'r Ymerodraeth Almaenig i fodolaeth yn yr union fan hon 48 o flynyddoedd yn gynt.

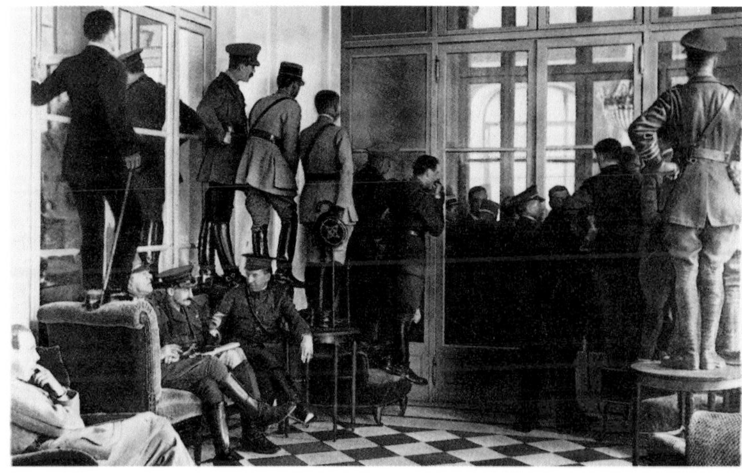

ARWYDDO'R CYTUNDEB
Mae'r milwyr sy'n gwylio Cytundeb Versailles yn cael ei arwyddo, wedi disgwyl yn hir am y foment hon. Fe gyfarfu'r Cynghreiriaid a'r Almaenwyr am y tro cyntaf yn Ionawr 1919. Mynnai'r Americaniaid gael cytundeb teg a fyddai'n sicrhau democratiaeth a rhyddid i bawb. Ond roedd Ffrainc, a Phrydain i raddau, am gadw'r Almaen yn wan a rhanedig. Bu'r trafodaethau bron â methu sawl gwaith, cyn cael cytundeb terfynol ym Mehefin 1919.

Y CYTUNDEBAU HEDDWCH
Arwyddwyd Cytundeb Versailles gan gynrychiolwyr y Cynghreiriaid a'r Almaen. Yn ddiweddarach, mewn mannau eraill ym Mharis, arwyddodd y Cynghreiriaid gytundebau ag Awstria ym Medi 1919, Bwlgaria yn Nhachwedd 1919, Twrci yn Ebrill 1920, a Hwngari ym Mehefin 1920. Erbyn hynny roedd map Ewrop yn wahanol iawn.

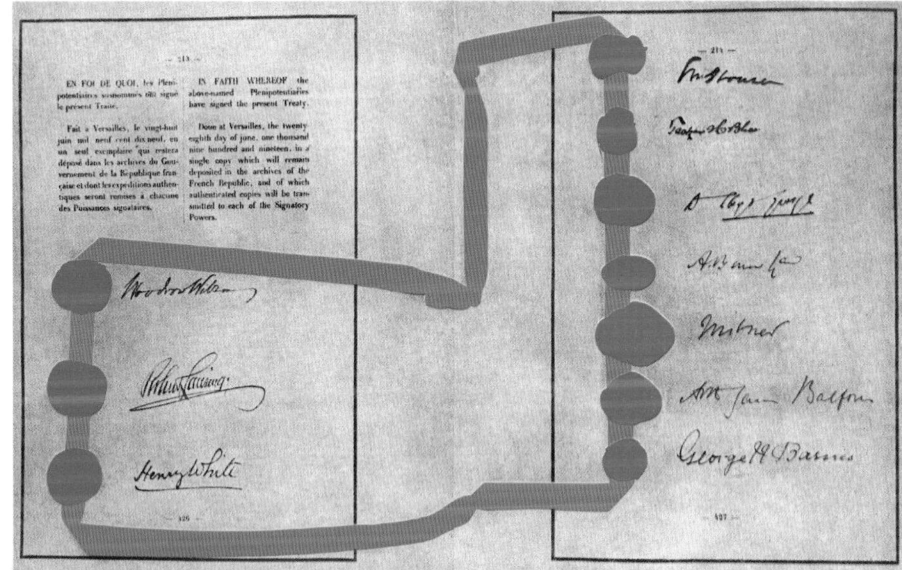

— 213 —

EN FOI DE QUOI, les Plénipotentiaires susnommés ont signé le présent Traité.

Fait à Versailles, le vingt-huit juin mil neuf cent dix-neuf, en un seul exemplaire qui restera déposé dans les archives du Gouvernement de la République française et dont les expéditions authentiques seront remises à chacune des Puissances signataires.

IN FAITH WHEREOF the above-named Plenipotentiaries have signed the present Treaty.

Done at Versailles, the twenty-eighth day of June, one thousand nine hundred and nineteen, in a single copy which will remain deposited in the archives of the French Republic, and of which authenticated copies will be transmitted to each of the Signatory Powers.

Henry White

Milner

Cytundeb Versailles

Y CYNGHREIRIAID BUDDUGOL
Arweiniwyd y trafodaethau ym Mharis gan Brif Weinidog Ffrainc Georges Clemenceau (gyda chefnogaeth y Cadfridog Foch), Prif Weinidog Prydain David Lloyd George, Prif Weinidog yr Eidal Vittorio Orlando – yma yng nghwmni'i weinidog tramor, Giorgio Sonnino – ac Arlywydd UDA Woodrow Wilson. Y 'Pedwar Mawr' hyn fu'n gyfrifol am brif fanylion y cytundeb heddwch.

Cost y rhyfel

ROEDD Y GOST I'R UNIGOLYN yn anghredadwy. Ymladdodd dros 65 miliwn o ddynion, a chafodd dros hanner eu lladd neu'u hanafu – lladdwyd 8 miliwn, bu farw 2 filiwn o glefyd, anafwyd 21.2 miliwn, a chafodd 7.8 miliwn eu carcharu neu fynd ar goll. Hefyd bu farw tua 6.6 miliwn o sifiliaid. Ymysg y gwledydd fu'n ymladd, ar wahân i UDA, roedd pob teulu, bron iawn, wedi colli o leiaf un mab neu frawd. Roedd rhai wedi colli pob gwryw. Diflannodd trefi a phentrefi cyfan, a throwyd tir amaethyddol yn gorsydd marwol. Yn ariannol, difethwyd economi gwledydd Ewrop. Ar yr un pryd daeth UDA yn un o wledydd mwyaf pwerus y byd. Ar ddiwedd 1918, ar ôl dioddef pedair blynedd o ryfel, doedd neb am weld y fath greulondeb a llanast fyth eto.

UN BYWYD
Milwr yn sefyll ar Grib Pilckem yn ystod Brwydr Passchendaele yn Awst 1917. Mae'r groes blaen hon yn dangos fod y bedd wedi'i gloddio ar frys, ond diflannodd llawer o filwyr i'r mwd, heb ddim i nodi'r fan.

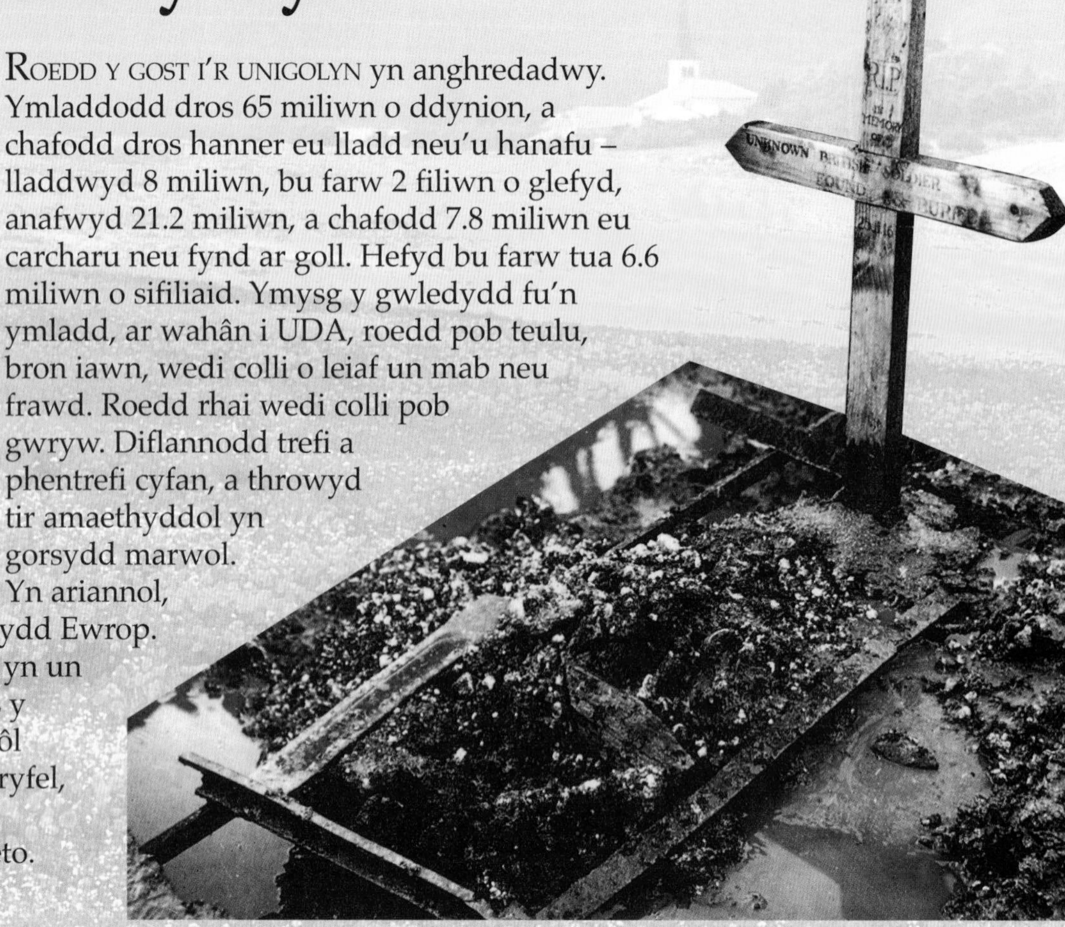

Y MILWR DIENW
Roedd hi'n amhosib adnabod cyrff llawer o'r rhai fu farw. Croesau plaen sy ar eu beddau. Diflannodd miloedd o ddynion eraill. Mwy na thebyg eu bod wedi marw. Rhoddodd Ffrainc a Phrydain angladd anrhydeddus i un o'u milwyr dienw – yn yr Arc de Triomphe, Paris, ac Abaty Westminster, Llundain.

GOFAL PELLACH
Creithiwyd miloedd o filwyr yn y rhyfel, a gadawyd llawer yn anabl. Cafodd rhai lawdriniaeth i ailadeiladu'r wyneb. Gwisgai eraill fygydau a phrosthesisau i guddio briwiau erchyll. Roedd coesau artiffisial yn eu helpu i gerdded i ryw raddau. Ond i lawer o filwyr doedd dim dianc rhag erchylltra'r rhyfel am weddill eu hoes.

Bu rhai milwyr mewn cartrefi gofal am weddill eu bywydau

Roedd llawer yn peintio i ddiddori'u hunain

Llun cefndir: blodau'r pabi ar feysydd brwydr gogledd Ffrainc

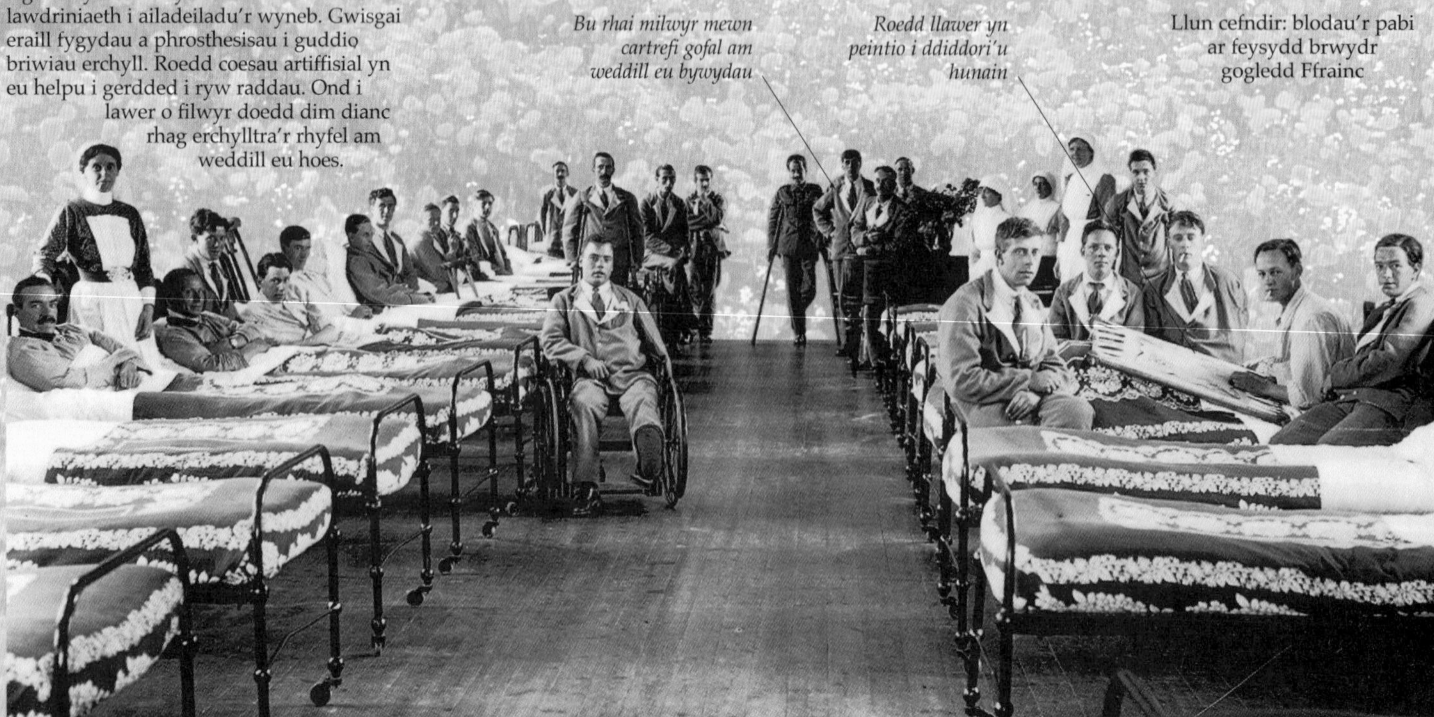

COFIO'R RHYFEL
Tyfai llu o flodau, gan gynnwys pabi coch Fflandrys, ar ddwy ochr Ffrynt y Gorllewin. Byddai milwyr, fel Jack Mudd o Fataliwn 214 Catrawd Llundain (uchod) yn eu gwasgu a'u hanfon adre. Ar ôl anfon y pabi hwn i'w wraig Lizzie, bu farw Mudd yn 1917 ym Mrwydr Passchendaele. Ysgrifennodd meddyg o Ganada, John McCrae y gerdd *In Flanders Fields* ar ôl trin milwyr clwyfedig ger Ypres yn 1915. Soniodd am y pabi yn ei gerdd, ac ysbrydolwyd y Lleng Brydeinig i werthu pabïau papur i godi arian er budd milwyr clwyfedig ac i goffáu'r meirw.

COFEBAU RHYFEL
Ar hyd Ffrynt y Gorllewin saif mynwentydd a chofebau i'r meirw. Ym mawsolëwm ac esgyrndy (cell gladdu) cenedlaethol Ffrainc yn Douaumont, Verdun (isod) mae gweddillion 130,000 o filwyr dienw Ffrainc a'r Almaen. Mae 410 o fynwentydd Prydeinig yn nyffryn y Somme yn unig.

Croes Haearn Prwsia

Croes Victoria (V.C.)

I'R DEWR
Roedd pob gwlad yn rhoi medalau milwrol a sifilaidd i anrhydeddu'r dewr. Dosbarthwyd 5 miliwn Croes Haearn i filwyr yr Almaen a'u cynghreiriaid. Dosbarthwyd dros 2 filiwn Croix de Guerre i filwyr, unedau milwrol, sifiliaid a threfi Ffrainc, a dosbarthwyd 576 Croes Victoria, anrhydedd uchaf Prydain, i filwyr o Brydain a'r Ymerodraeth.

Croix de Guerre, Ffrainc

Wyddet ti?

Pytiau o wybodaeth

Roedd sŵn y gynnau mawr a'r ffrwydron tanddaearol yn anhygoel o uchel. Yn 1917, clywyd y ffrwydradau dan linellau'r Almaen ar Grib Messines i'r de o Ypres, Belg, yn Llundain, 220 km (140 milltir) i ffwrdd.

Câi pob milwr Prydeinig bâr o esgidiau mewn pryd i'w hystwytho. O'r Somme ymlaen, roedd gan bob milwr ei helmed ddur ei hun. Cedwid yr offer arbenigol – esgidiau pysgota, er enghraifft – yn y storfa gymunedol a'u trosglwyddo o un garfan i'r llall.

Dillad y Fyddin Brydeinig, chwith i'r dde: côt gynnes i yrrwr tryc; siwt wrthfflam i saethwr gwn tân; siwt guddliw (gaeaf) i ysbeiliwr y ffosydd; dillad hedfan.

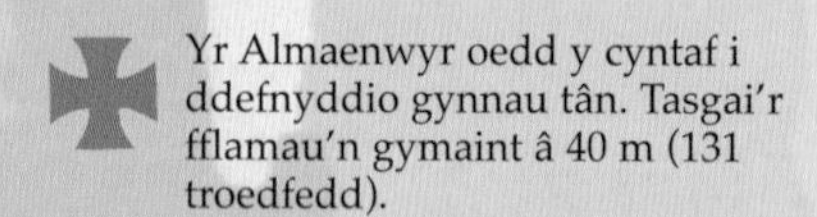

Yr Almaenwyr oedd y cyntaf i ddefnyddio gynnau tân. Tasgai'r fflamau'n gymaint â 40 m (131 troedfedd).

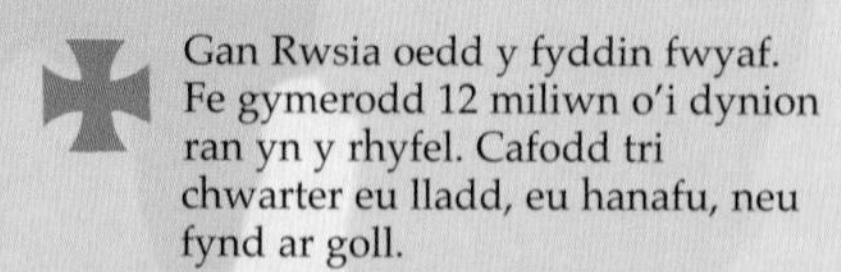

Gan Rwsia oedd y fyddin fwyaf. Fe gymerodd 12 miliwn o'i dynion ran yn y rhyfel. Cafodd tri chwarter eu lladd, eu hanafu, neu fynd ar goll.

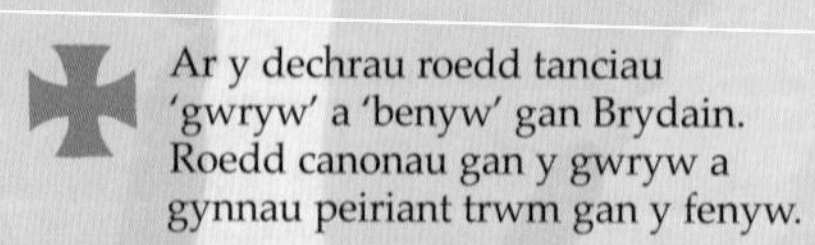

Ar y dechrau roedd tanciau 'gwryw' a 'benyw' gan Brydain. Roedd canonau gan y gwryw a gynnau peiriant trwm gan y fenyw.

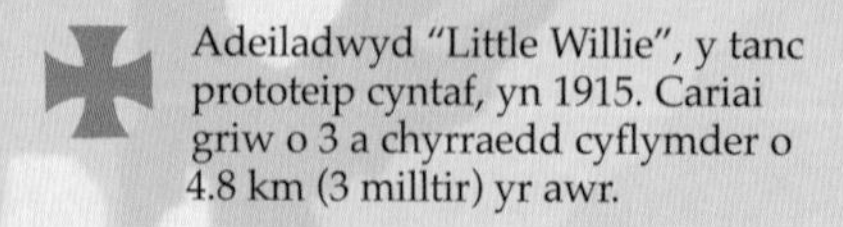

Adeiladwyd "Little Willie", y tanc prototeip cyntaf, yn 1915. Cariai griw o 3 a chyrraedd cyflymder o 4.8 km (3 milltir) yr awr.

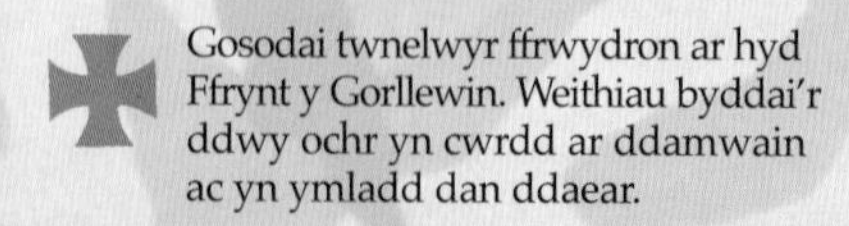

Gosodai twnelwyr ffrwydron ar hyd Ffrynt y Gorllewin. Weithiau byddai'r ddwy ochr yn cwrdd ar ddamwain ac yn ymladd dan ddaear.

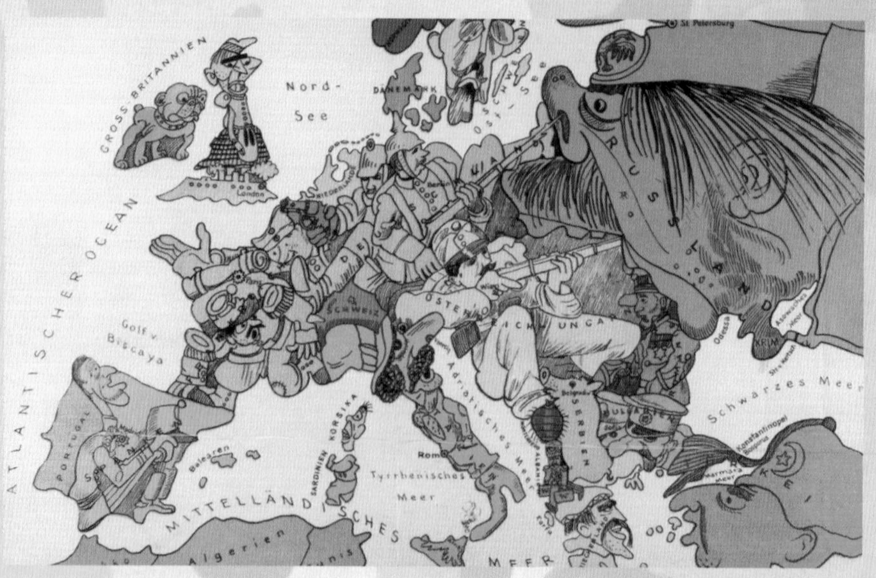

Map o Ewrop yn 1914 gan Walter Trier

Câi'r bwyd ei baratoi mewn ceginau maes oedd weithiau sawl cilomedr o'r llinell flaen. Roedd hi'n amhosib gyrru cerbyd i'r ffos, felly câi'r bwyd ei gario ar droed.

Llenwi'r Thermos oedd yn cadw'r bwyd yn boeth

Dyma gartŵn enwog gan Walter Trier (1890-1951), a aned ym Mhrâg. Mae'n dangos Ewrop yn 1914, ar drothwy'r rhyfel, a'i harweinwyr yn dadlau a bygwth.

Ger Messines, Belg, mae llyn 12-m (40-troedfedd) o ddyfnder o'r enw Pwll Heddwch. Mae'n llenwi'r crater a adawyd pan ffrwydrodd Prydain 41,325 kg (40 tunnell) o ffrwydron dan ddaear yn 1917.

Gwisgai rhai milwyr falaclafas yn y gaeaf. Defnyddiwyd yr helmedau gwlân hyn am y tro cyntaf ym Mrwydr Balaclafa, yn Rhyfel y Crimea (1854).

Ci-negesydd Almaenig yn gosod gwifrau telegraff

Cariai cŵn orchmynion i'r llinell flaen mewn capsiwlau wedi'u strapio am eu cyrff. Hyfforddwyd rhai i osod gwifrau telegraff – ffordd arall o helpu'r milwyr i gyfathrebu!

HOLI AC ATEB

Dull modern o guddliwio (*camouflage*)

H **Pwy oedd "Big Bertha"?**

A Howitzer 43,700-kg (43-tunnell) a ddefnyddiwyd gan yr Almaenwyr yn y Rhyfel Byd Cyntaf oedd Big Bertha. Enwodd Gustav Krupp, ei chynllunydd, y gwn ar ôl ei wraig. Roedd Bertha'n haws ei symud na'r howitzer 420-mm (16.5 modfedd) blaenorol. Ond er y gellid ei thynnu i'w safle gan dractor, cymerai criw o 200 dyn chwech awr neu fwy i'w rhoi at ei gilydd. Roedd yn arf brawychus. Gallai danio siel 930-kg (2,050-lb) dros bellter o 15 km (9.3 milltir). Daeth Bertha i fri yn Liège, Belg. Dinistriodd y 12 caer o gwmpas y ddinas mewn tri diwrnod.

H **Pam oedd milwyr yn cadw anifeiliaid?**

A Anifeiliaid gwaith oedd mwyafrif y rhai a deithiai gyda'r fyddin. Cario a thynnu nwyddau oedd gwaith y mulod, y ceffylau a'r camelod.

Milwyr â'u cwningod a'u ieir

Cariai cŵn a cholomennod negeseuon pwysig. Y tu ôl i'r llinell flaen, cadwai rhai milwyr gwningod ac ieir ar gyfer cig ac wyau. Cedwid rhai anifeiliaid i godi calon. Roedd cŵn yn boblogaidd, ond roedd gan un grŵp o filwyr o Dde Affrica impala fel masgot!

H **Sut oedd milwyr yn defnyddio cuddliw?**

A Hwn oedd y rhyfel cyntaf o bwys lle defnyddiwyd *camouflage*. Gwisgai'r milwyr iwnifform liw caci oedd yn toddi i'r cefndir. Gwnaeth rhai saethwyr cudd siwtiau o sachliain wedi'i beintio. Yn aml câi helmedau dur eu peintio â phaent di-sglein yn gymysg â blawd llif neu dywod, neu eu rhwbio â mwd, neu eu gorchuddio â darnau o sachau tywod, i'w hatal rhag disgleirio. Defnyddid sachliain neu rwydi i guddio offer rhag awyrennau. Yn hytrach na thoddi i'r cefndir, peintiwyd patrymau ar longau rhyfel, i ddrysu'r gelyn fel y mae streipiau sebra'n drysu llew.

H **Sut oedd milwyr yn gwybod pryd i wisgo mygydau nwy?**

A Roedd milwyr ar wyliadwriaeth ddydd a nos. Byddai'r gwylwyr yn defnyddio beth bynnag oedd wrth law – cloch, ratl, chwiban, neu'r llais – i rybuddio'r lleill. Ar ôl clywed y larwm, byddai'r milwyr yn gwisgo'u mygydau ar unwaith – gyda lwc, cyn i'r nwy marwol gyrraedd y ffos.

H **O ble daeth yr enw 'tanc'?**

A "Llong-dir" oedd yr enw a ddefnyddiai cynllunwyr Prydeinig y tanc. Ond roedd yr enw'n rhy amlwg. Beth os byddai ysbïwr yn dechrau busnesa a'r Almaenwyr yn clywed am y ddyfais newydd? Felly roedd rhaid meddwl am enw arall credadwy. Gan fod corff y ddyfais yn hirsgwar, edrychai fel tanc storio dŵr. *"Water carrier"* oedd y dewis cyntaf, nes i rywun sylweddoli y gellid ei dalfyrru i "WC". Yn y diwedd dewiswyd yr enw "tanc".

Gwyliwr ar ddyletswydd

Pobl a lleoedd allweddol

DOES DIM POSIB enwi'r holl bobl gymerodd ran bwysig yn y Rhyfel Byd Cyntaf, ond dyma rai ohonyn nhw, ynghyd â lleoliad y prif frwydrau.

Y Cadfridog Joseph Joffre; Y Brenin George V o Brydain; Y Cadfridog Ferdinand Foch; Raymond Poincaré, Arlywydd Ffrainc; Y Cadfridog Syr Douglas Haig

POBL BWYSIG

Y Cadfridog Brusilov o Rwsia

ALEXEI BRUSILOV (1853–1926)
Yn 1916, fe dorrodd "ymgyrch Brusilov" drwy linellau Awstria-Hwngari. Y Cadfridog Brusilov oedd pennaeth byddinoedd Rwsia ar Ffrynt y Dwyrain yn 1917.

LUIGI CADORNA (1850–1928)
Y cadfridog yng ngofal byddin yr Eidal. Ei unig lwyddiant oedd ailgipio Gorizia yn 1916.

FERDINAND FOCH (1851–1929)
Arbenigwr ar ynnau mawr, ac arweinydd llwyddiannus y Ffrancod ar y Marne. Erbyn 1918 roedd yn cydlynu holl luoedd y Cynghreiriaid ar Ffrynt y Gorllewin.

ANTHONY FOKKER (1890–1939)
Cynllunydd o'r Iseldiroedd a ddatblygodd yr awyren ryfel gyntaf â gwn peiriant syncronaidd yn edrych tuag ymlaen. Rhoddodd ei Fokker Eindecker fantais i'r Almaen yn gynnar yn y rhyfel Cynhyrchodd Fokker 40 awyren wahanol yn ystod y rhyfel.

RENÉ FONCK (1894–1953)
Ffrancwr, a pheilot mwyaf llwyddiannus y Cynghreiriaid. Saethodd 75 o awyrennau'r gelyn i'r llawr.

DOUGLAS HAIG (1861–1928)
Y cadfridog yng ngofal lluoedd Prydain ar Ffrynt y Gorllewin. Rhoddodd y gorchymyn i ymosod ar y Somme a Passchendaele, yn ogystal â chyrch olaf, llwyddiannus, y Cynghreiriaid.

PAUL VON HINDENBURG (1847–1934)
Ar ddechrau'r rhyfel arweiniodd fyddin lwyddiannus yr Almaen yn erbyn Rwsia. Erbyn 1916 roedd yn ben ar holl filwyr tir yr Almaen. Safodd ei Linell Hindenburg, a grewyd yn 1917, yn gadarn tan 1918.

JOSEPH JOFFRE (1852–1931)
Ar ddechrau'r rhyfel daeth yn Gadlywydd byddin Ffrainc. Cynlluniodd ymosodiadau ar Ffrynt y Gorllewin, ond ar ôl colledion enfawr, fe gollodd ei swydd yn 1916.

T.E. LAWRENCE (1888–1935)
"Lawrence o Arabia". Gweithiai i Wasanaeth Cudd-ymchwil y Cynghreiriaid yn y Dwyrain Canol. Arweiniodd yr Arabiaid mewn gwrthryfel yn erbyn y Tyrciaid, gan ysgrifennu'r hanes yn *The Seven Pillars of Wisdom*.

RITTMEISTER VON RICHTHOFEN (1892–1918)
"Y Barwn Coch". Saethodd yr Almaenwr hwn dros 80 awyren i'r llawr, mwy nag unrhyw beilot arall yn y rhyfel. Bu farw pan saethwyd e i'r llawr ger Amiens.

MAXIMILIAN VON SPEE (1861–1914)
Suddodd y Llyngesydd Almaenig hwn ddau griwser Prydeinig ger Chile. Bu farw pan suddodd ei long, y *Scharnhorst*, ger Ynysoedd Falkland.

GABRIEL VOISIN (1880–1973)
Cynllunydd awyrennau o Ffrainc. Mae'n enwog am y Voisin III (y gyntaf o awyrennau'r Cynghreiriad i saethu awyren y gelyn i'r llawr), a'r awyren fomio Voisin V, a gariai ganon.

MARGARETHA ZELLE (1876–1917)
"Mata Hari", dawnswraig o'r Iseldiroedd. Er iddi wadu hynny, mae'n bosib ei bod wedi ysbïo dros Ffrainc a hefyd dros yr Almaen. Dienyddiwyd hi gan Ffrainc yn 1917.

Propelor sy'n cydamseru â'r gwn

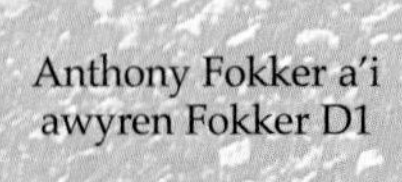
Anthony Fokker a'i awyren Fokker D1

Y cynllunydd awyrennau Gabriel Voisin (ar y dde)

PRIF FRWYDRAU

Tanciau'n mynd drwy Meaulte, Ffrainc, yn ystod cyrch Amiens

AMIENS
Yn Awst 1918, arweiniodd y Cadfridog Rawlinson gyrch llwyddiannus y Cynghreiriaid i ailgipio Llinell Amiens. Ar y diwrnod cyntaf fe enillodd y Cynghreiriaid 12 km (7.5 milltir).

CAMBRAI
Arweiniodd y Cadfridog Haig ymosodiad dirybudd ar yr Almaenwyr yn Cambrai, Ffrainc, Tachwedd 1917. Cipiodd y Cynghreiriaid ddarn sylweddol o dir, ond fe'i collwyd ymhen pythefnos. Lladdwyd neu anafwyd tua 45,000 milwr Prydeinig a 50,000 o Almaenwyr.

GAZA
Dan arweiniad y Cadfridog Dobell ymosododd milwyr Prydain yn ddirybudd ar y Tyrcïaid yn Gaza ym Mawrth 1917. Fe'u gwthiwyd yn ôl yn fuan wedyn. Roedd porthladd Gaza'n darged strategol, ar y ffordd i Balestina. Fe'i cipiwyd o'r diwedd yn Nhachwedd, ar ôl i longau danio ar yr amddiffynfeydd a'u gwanhau.

Gorsaf drin clwyfau Brydeinig yn Cambrai

HELIGOLAND BIGHT
Yn Awst 1914, ymosododd 2 griwser ysgafn Prydeinig a 25 distrywlong ar longau Almaenig ger eu canolfan ar Heligoland ym Môr y Gogledd. Yn ystod y frwydr suddodd y Prydeinwyr 3 chriwser ac un ddistrywlong.

JUTLAND
Unig brif frwydr forwrol y rhyfel, ym Mai 1916, ger arfordir Jutland, Denmarc. Hawliodd y ddwy ochr fuddugoliaeth. Er i'r Almaenwyr achosi'r colledion mwyaf, daliai Prydain i reoli Môr y Gogledd.

The Retreat from Mons (1927) gan yr Arglwyddes Elizabeth Butler

MONS
Wynebodd Byddin Ymgyrchol Prydain fyddin yr Almaen ym Mons, Ffrainc, Awst 1914. Er i'r Almaenwyr ddioddef colledion mawr, fe wthion nhw'r Prydeinwyr yn ôl i Afon Marne.

PASSCHENDAELE
Dechreuodd y frwydr yng Ngorffennaf 1917. Bombardiodd y Cynghreiriaid yr Almaenwyr am ddeg diwrnod. Yna fe symudon nhw yn eu blaen, er i'r glaw trwm eu harafu. Cipiwyd crib Passchendaele, Gwlad Belg, o'r diwedd yn Nhachwedd.

SOMME
Cychwynnodd y frwydr yng Ngorffennaf 1916. Ar y diwrnod cyntaf lladdwyd neu anafwyd 58,000 o Brydeinwyr. Serch hynny, daliwyd ati i ymosod tan fis Tachwedd. Pan benderfynwyd dod â'r frwydr i ben, roedd 620,000 o'r Cynghreiriaid wedi'u lladd neu'u hanafu a thua 500,000 o Almaenwyr.

VERDUN
Ymosododd yr Almaenwyr ar dref garsiwn Verdun, Ffrainc, yn Chwefror 1916. Ar y cychwyn roedd 5 Almaenwr i bob Ffrancwr, ond methwyd â chipio'r dref. Parhaodd y frwydr am 10 mis, a chollodd bron un filiwn o ddynion eu bywydau.

VITTORIO-VENETO
Un o gyrchoedd olaf y rhyfel, pan ailgipiwyd Vittorio-Veneto gan yr Eidalwyr ar 29 Hydref 1918. Roedd lluoedd Awstria-Hwngari wedi cilio'r diwrnod cynt.

YPRES
Cipiwyd tref Ypres, Belg, gan yr Almaenwyr yn Awst 1914, ond ailgipiwyd hi gan Brydain ym mis Hydref. Dioddefodd Prydain golledion enfawr, wrth i'r Almaen geisio taro'n ôl. Digwyddodd ail frwydr Ypres yn Ebrill a Mai 1915, a'r drydedd, Passchendaele, yn 1917.

Cegin faes Brydeinig ar y Somme, 1916

Rhagor o wybodaeth

MAE SAWL FFYNHONNELL wybodaeth am y Rhyfel Byd Cyntaf. Gofynnwch i aelodau hŷn y teulu a ydyn nhw'n cofio clywed hanesion gan berthnasau. Mae atgofion personol ar y we, a llwyth o wybodaeth. Benthycwch lyfrau o'r llyfrgell ac ewch i amgueddfeydd milwrol. Yn ogystal â chasgliadau diddorol, mae arddangosfeydd rhyngweithiol mewn rhai amgueddfeydd. Daw rhaglenni dogfen y teledu â'r rhyfel yn fyw drwy ddefnyddio lluniau go iawn neu rai wedi'u hail-greu. Yn olaf, cofiwch fod amrywiaeth cyfoethog o hen ffilmiau rhyfel sy'n rhoi blas o'r hyn ddigwyddodd.

Y pabi, symbol o goffadwriaeth

DYDD Y COFFA
Gall pawb helpu i goffáu aberth milwyr a sifiliaid yn ystod y Rhyfel Byd Cyntaf. Bob blwyddyn, ar y Sul agosaf at 11 Tachwedd, cynhelir gwasanaethau o flaen cofebau rhyfel ledled y wlad.

AMGUEDDFA'R TANCIAU
Dylai ffans y cerbydau hyn fynd i Bovington, Dorset, i weld y casgliad mwyaf o danciau yn y byd. Un o'r sêr yw Little Willie, y tanc prototeip cyntaf. Hefyd cynhelir rhaglen o ddigwyddiadau arbennig.

Baner drilliw Ffrainc (ei baner genedlaethol) yn cyhwfan bob 11 Tachwedd

ARC DE TRIOMPHE
Adeiladwyd yn wreiddiol gan Napoleon i ddathlu'i fuddugoliaethau, ond erbyn hyn mae'r Arc de Triomphe, Paris, Ffrainc, yn coffáu'r miliynau o filwyr a laddwyd yn y Rhyfel Byd Cyntaf. Caiff y fflam goffadwriaeth ei hail-gynnau bob dydd, ac yn Nhachwedd 1920, claddwyd corff milwr dienw dan y gofgolofn, i gynrychioli'r milwyr fu farw yn y rhyfel.

Cyn-filwr Anzac yn gwisgo medalau a enillwyd yn y rhyfel

DYDD ANZAC
Os ydych chi yn Awstralia neu Seland Newydd ar 25 Ebrill, cewch gymryd rhan yng ngorymdeithiau a seremonïau Dydd Anzac, i goffáu'r miloedd o filwyr o'r ddwy wlad fu farw yn Gallipoli, Twrci, yn 1915.

FFILMIAU RHYFEL
Mae llawer o ffilmiau am y Rhyfel Byd Cyntaf. Dydyn nhw ddim bob amser yn fanwl gywir, ond dyna i chi ffordd ddifyr o gael blas o'r cyfnod. Rhai o'r goreuon yw *Lawrence of Arabia* (1962), gyda Peter O'Toole (uchod) yn chwarae'r brif ran; *All Quiet on the Western Front* a *Hedd Wyn*.

GWEFANNAU DEFNYDDIOL

- Casgliad ar-lein Imperial War Museum, Llundain **www.iwmcollections.org.uk**
- Atgofion personol, ffeiliau sain, ffilmiau, cartwnau, ac adran gysylltiedig â'r cwricwlwm i blant **www.bbc.co.uk/history/worldwars/wwone/**
- Casgliad Llyfrgell Genedlaethol Cymru o ddogfennau a lluniau **www.cymru1914.org**
- Cymru'n Cofio: gwefan i goffáu canmlwyddiant y Rhyfel Byd Cyntaf yng Nghymru **www.archiveswales.org.uk/cy/prosiectau/rhyfel-byd-cyntaf**

Lleoedd gwerth eu gweld

COFEB RYFEL AWSTRALIA, CANBERRA, AWSTRALIA
- Galeri Gallipoli â modelau maint-llawn a diorama
- Arddangosfa Ffrynt y Gorllewin yn darlunio'r rhyfela yn y ffosydd + fideo
- Coeden "Lone Pine" a dyfwyd o hedyn a anfonwyd gan un o filwyr Gallipoli at ei fam

HISTORIAL DE LA GRANDE GUERRE, PÉRONNE, FFRAINC
- Miloedd o eitemau, â themâu arbennig gan gynnwys plant a charcharorion
- Casgliad o baentiadau rhyfel gan yr arlunydd Almaenig, Otto Dix
- Cynigir "Cylch Coffa" 60-km (37-milltir) – taith i'r prif safleoedd brwydrau yng ngogledd Ffrainc

IMPERIAL WAR MUSEUM, LLUNDAIN
- Tanc o'r Rhyfel Byd Cyntaf, ynghyd â galeri arbennig yn cynnwys arfau, iwnifformau, posteri, medalau ac ati, wedi'u trefnu yn ôl thema
- Cerddwch drwy "Trench Experience" a phrofwch olygfeydd, synau ac arogleuon Brwydr y Somme
- Eitemau ar ddatblygiad awyrennau a'r archbeilotiaid

THE ROYAL CORPS OF SIGNALS MUSEUM, BLANDFORD, DORSET
- Adran arbennig yn dangos technolegau newydd y Rhyfel Byd Cyntaf, gan gynnwys ffôn a radio milwrol
- Eitemau ar anifeiliaid y rhyfel

THE TANK MUSEUM, BOVINGTON, LLOEGR
- Bron 300 tanc o dros 26 gwlad
- Hanes tanciau o'r Rhyfel Byd Cyntaf tan heddiw

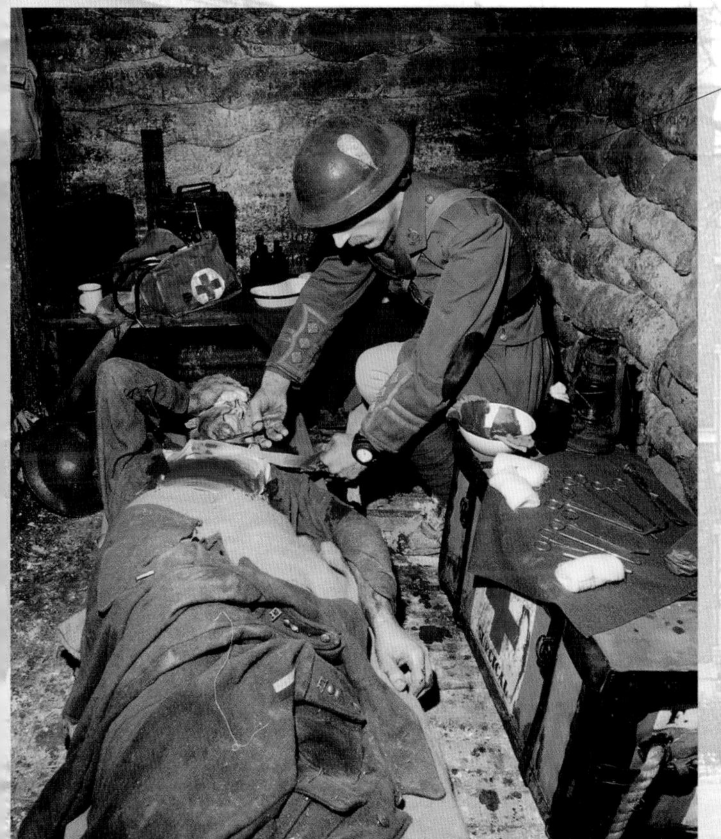

Model maint-llawn yn dangos doctor milwrol yn trin clwyfau

IMPERIAL WAR MUSEUM
Mae'r olygfa hon yn rhan o arddangosfa Trench Experience yn yr amgueddfa. Mae goleuadau, sŵn ac arogl yn dangos i'r ymwelwyr pa mor frawychus a dryslyd oedd bywyd yn y ffosydd.

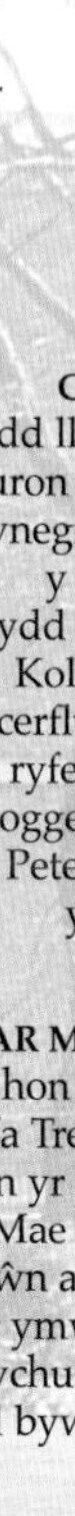

Cerflun yn dangos rhieni'n galaru am eu mab

CERFLUN RHYFEL
Creodd llawer o arlunwyr ac awduron ddarnau o waith i fynegi'u teimladau am y rhyfel. Gwnaeth y cerflunydd Almaenig Kathe Kollwitz (1867-1945) y cerflun hwn ar gyfer mynwent ryfel yr Almaenwyr yn Roggevelde, Belg. Mae Peter, ei mab ei hun, yn gorwedd yno.

Geirfa

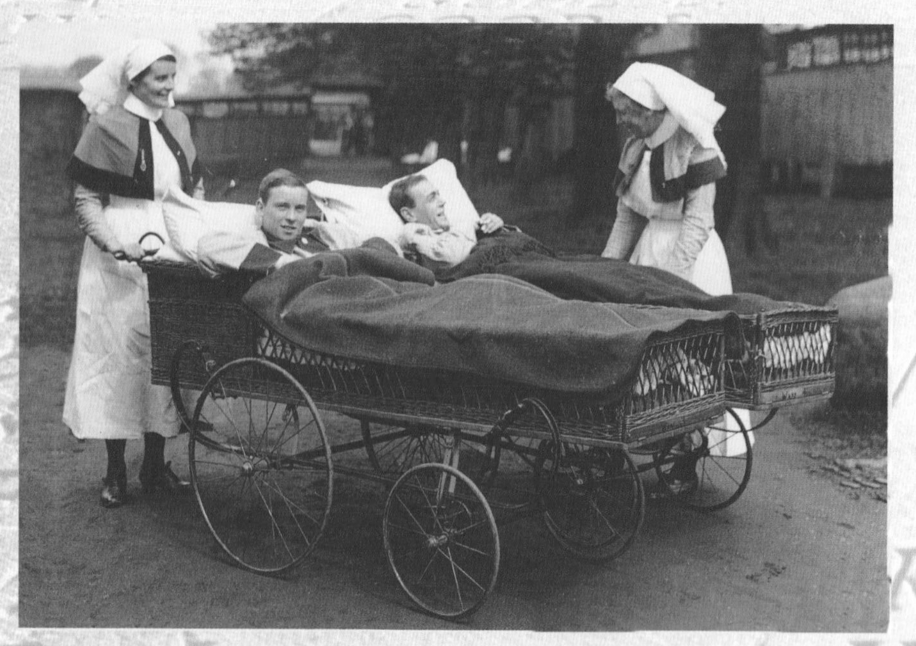

Nyrsys yn mynd â milwyr ar wellhâd am dro ar dir yr ysbyty

ANADLYDD Dyfais i wisgo dros yr wyneb i osgoi anadlu nwy gwenwynig.

ANYMLADDWR Un sy'n gysylltiedig â'r fyddin, ond ddim yn ymladd. Caplan neu ddoctor, er enghraifft.

ANZAC Aelod o'r Australian and New Zealand Army Corps.

AWYREN FÔR Awyren â fflotiau neu sgis, sy'n gallu glanio a chodi o'r môr.

BATRI Safle'r canon neu'r gynnau mawr.

BIDOG Llafn hir miniog yn sownd wrth reiffl, neu arf tebyg. Defnyddir i glwyfo, pan fydd y gelyn o fewn cyrraedd.

BOND RHYFEL Tystysgrif a roddir gan lywodraeth yn gyfnewid am fuddsoddiad ariannol. Defnyddir yr arian i dalu rhai o gostau'r rhyfel. Telir yr arian yn ôl gydag elw yn nes ymlaen.

BYNCER Lloches danddaearol rhag bomiau.

CADOEDIAD Diwedd y rhyfel. Rydyn ni'n coffáu'r digwyddiad ar Sul y Coffa, (Dydd y Cadoediad gynt) sef y Sul agosaf at 11 Tachwedd.

CLIP Ffordd o gario bwledi a'u llwytho'n gyflym.

COD MORSE Yn y cod hwn cynrychiolir pob llythyren gan nifer o ddotiau a dashiau, neu fflachiadau neu synau hir neu fyr. Samuel Morse (1791–1872) oedd y dyfeisiwr.

CONFOI Llongau masnach sy'n teithio gyda'i gilydd, a'r llynges yn eu gwarchod.

CONSGRIPT Un a orfodir drwy ddeddf i ymladd yn y fyddin.

CONSGRIPTIO Gorfodi pobl i ymladd yn y fyddin.

CRYPTOGRAFFEG Astudio a chreu codau cyfrin.

CUDDLIW/CAMOUFLAGE Lliw oedd yn toddi i'r cefndir. Yn ystod y Rhyfel Byd Cyntaf, cuddio'r gynnau fyddai'r milwyr fel arfer, ond byddai rhai'n duo'u hwynebau cyn mynd allan liw nos, a gwisgai saethwyr cudd siwtiau cuddliw.

CUDD-YMCHWIL Casglu gwybodaeth sy'n ddefnyddiol i'r fyddin, a'r ysbiwyr sy'n gwneud y gwaith.

CYNGHRAIR Grŵp o bobl neu wledydd (Cynghreiriaid) sy wedi cytuno i gydweithio. Mae Cynghreiriaid yn aml yn datgan eu bwriadau mewn cytundeb swyddogol.

Mwgwd nwy analydd bocs bach

CYNORTHWY-YDD MEDDYGOL Milwr sy wedi derbyn rhywfaint o hyfforddiant meddygol ac yn helpu i drin cleifion y fyddin.

DYSENTRI Salwch y coluddion sy'n achosi dolur rhydd a charthion gwaedlyd.

ENDEMIG Yn perthyn i fan neu i bobl arbennig.

ENTENTE Cytundeb cyfeillgar rhwng gwledydd.

FFLOTILA Llynges fechan.

FFON FOTWM Teclyn metel a ddefnyddiai'r milwr i warchod ei iwnifform rhag polish, pan fyddai'n sgleinio'i fotymau.

FFOS Twll yn y ddaear a gloddiwyd gan filwyr i'w gwarchod rhag gynnau'r gelyn.

Swyddog cudd-ymchwil yn astudio lluniau o ffosydd y gelyn a dynnwyd o'r awyr

GERILA/*GUERRILLA* Byddin fach anffurfiol yw byddin gerila. Mae'r milwyr yn taro'r gelyn ac yna'n dianc. Daw'r enw o'r gair Sbaeneg *guerrilla*, sy'n golygu "rhyfel bach".

GRENÂD Bom bach a deflir â llaw.

GWN PEIRIANT Gwn awtomatig sy'n tanio'n gyflym.

GWRTHWYNEBYDD CYDWYBODOL Un sy'n gwrthod ymladd am resymau moesol.

HOWITZER Gwn byr sy'n tanio'n uchel.

LISTIO Ymuno â'r lluoedd arfog.

Poster propaganda Americanaidd

LLINELL FLAEN Y ffin rhwng tiroedd y gelyn, lle mae'r ymladd.

LLUOEDD PARHAOL Milwyr sy eisoes yn y fyddin, yn wahanol i gonsgriptiaid.

LLUOEDD WRTH GEFN Pobl sy wedi cael peth hyfforddiant milwrol, ond sy ddim yn perthyn i'r lluoedd parhaol. Os bydd argyfwng, nhw fydd y cyntaf i gael eu galw.

Gwn peiriant Prydeinig .303-in (7.7-mm) Maxim Mark 3 canolig, 1902

MARCHOGLU Milwyr ar geffylau oedd yr ystyr gwreiddiol. Yna defnyddiwyd yr enw i ddynodi milwyr mewn cerbydau – tanciau, er enghraifft.

NIWTRALIAETH Peidio ag ochri â neb.

NOT Uned sy'n mesur cyflymder llong. Mae un not yn cyfateb i 1.85 km (1.15 milltir) yr awr.

NWY Yng nghyd-destun rhyfel, ystyr "nwy" yw nwy gwenwynig, fel clorin, a ddefnyddid i dagu, dallu neu ladd y gelyn.

PERISGOP Dyfais â drychau i alluogi'r defnyddiwr i weld pethau na fyddai yn y golwg fel arall.

PICED Postyn metel. Câi'r rholiau o weiren bigog a ddefnyddid i amddiffyn llinellau blaen y ffosydd eu clymu i bicedi. Daw o'r gair Ffrangeg *piquet*.

PROPAGANDA Gwybodaeth sy'n gwthio rhyw safbwynt arbennig. Gall fod yn boster, darllediad, neu bamffled a ollyngir o'r awyr, er enghraifft.

PUTTEE Rhwymyn o liain a wisgid am ran isaf y goes.

RAS ARFAU Cystadleuaeth rhwng gwledydd i greu storfeydd mawr o arfau.

RECRIWT Un sy'n cael ei listio yn y fyddin.

REIFFL Gwn baril-hir sy'n cael ei danio o lefel yr ysgwydd.

RHYFEL ATHREULIOL Ymosodiadau dibaid i flino a gwanhau'r gelyn.

SHRAPNEL Ffrwydryn a wasgarai belenni bach gyda'r bwriad o ladd neu anafu.

SIEL Ffrwydryn sy'n cael ei danio o ganon, er enghraifft.

Perisgop stereosgopig Almaenig

SIEL-SYFRDAN Straen meddyliol neu salwch a ddioddefai milwr oedd wedi ymladd yn y rhyfel.

TANIO SYMUDOL Y gynnau mawr yn tanio rhes o sieliau sy'n cripian o flaen ymosodiad.

TELEGRAFF Dyfais gyfathrebu oedd yn gyrru signalau trydanol ar hyd gwifren.

TERFYSGWR Un sy'n defnyddio trais i wireddu neu dynnu sylw at ei amcanion gwleidyddol.

TIR NEB Tir rhwng dau elyn, heb ei gipio gan yr un o'r ddau.

TORPIDO Taflegryn sy'n gyrru'i hun drwy'r dŵr. Caiff ei danio gan gwch neu long danfor.

TREFEDIGAETH Gwlad a reolir gan wlad arall.

WLTIMATWM Y cais olaf. Fel arfer os na chytunir â'r cais, bydd canlyniadau difrifol, a diwedd ar gyfathrebu.

YMADFER Gwella'n araf bach o salwch neu glwyfau.

YMDDISWYDDO
Rhoi'r gorau i swydd.

YMFYDDINO
Paratoi milwyr i ymladd.

YSBRYD Cryfder bwriad, hyder neu ffydd.

Mynegai

Cydnabyddiaethau

Dymuna Dorling Kindersley a'r awdur ddiolch i: Elizabeth Bowers, Christopher Dowling, Mark Pindelski, a thîm archif ffotograffiaeth yr Imperial War Museum am eu help anhepgorol; Right Section, Kings Own Royal Horse Artillery am y gwn a welir ar dud. 10; Lynn Bresler am y mynegai.

Yn achos yr argraffiad hwn, dymuna'r cyhoeddwyr gwreiddiol diolch i: yr awdur am helpu â'r newidiadau; Claire Bowers, David Ball, Neville Graham, Rose Horridge, Joanne Little, a Susan Nicholson am y siart; BCP, Marianne Petrou, ac Owen Peyton Jones am wirio'r ffeiliau digidol.

Diolch hefyd i'r isod am eu caniatâd caerdig i atgynhyrchu'r ffotograffau canlynol:
g=gwaelod, c=canol, ch= chwith, d=de, t=top; u=uchaf

AKG London: 61, 7cdg, 36gd, 37gch, 38cch, 38gch, 41 td, 42c, 42gch, 43gd, 38cch, 38gch, 41td, 42c, 42gch, 43gd, 52cch, 58–59t, 60c. **Bovington Tank Museum:** 68cu. **Bridgeman Art Library, London/New York:** © Royal Hospital Chelsea, London, UK 67td.**Corbis:** 2td, 6td, 7td, 20td, 22td, 31td; Bettmann 8td, 26–27, 44-45c, 49gch, 55td, 35gc, 49tch, 54gch, 55t, 55gd, 58–59, 61cd 69gd; Randy Faris 64–65; Christel Gerstenberg 64td; Dallas and John Heaton 68gch; Dave G. Houser 41cd; © Hulton- Deutsch Collection 66gd; Michael St Maur Sheil 70–71 cefndir; Swim Ink 71tch. **DK Picture Library:** Andrew L. Chernack, Springfield, Pennsylvania: 3td, 55td; Imperial War Museum 2cd, 13cch, 20gch, 20gd, 27gc, 28cch, 41c, 50gc, 51c, 70gc, 71td, 71gch, 71gd; National Army Museum: 44gch; RAF Museum, Hendon: 34cchu, 34cch; Spink and Son Ltd: 3tch, 4td, 43bc. **Robert Harding Picture Library:** 63c. **Heeresgeschichtliches Museum, Wien:** 8gch. **Hulton Getty:** 14tch, 17tch, 19gd, 21gd, 33td, 32–33g, 35cchg, 36cdu, 41c, 43t, 47cdu, 50cchg, 51cch, 58tch, 60tch, 60g, 61td, 61g; Topical Press Agency 50cl. **Imperial War Museum:** 2tch, 8tch (HU68062), 9gch (Q81763), lltd (Q70075), 10-llt (Q70232), 12cchg (32002), 14gc (Q42033), 15td (Cat. No. 0544), 15cd (Q823), 16c (Q57228), 16g (Q193), 17gd (E(AUS)577), 18td (CO2533), 18cch (Q2953), 18cd (IWM90/62/6), 18gd (IWM90/62/4), *The Menin Road* by Paul Nash 19td (Cat. No. 2242),19cchu, 19cd, 19cchg (Q872), 21tc (IWM90/62/5), 21td (IWM90/62/3), 22gcu, 22gch (CO1414), 23t (Q1462), 23gd (Q8477), 24tch (Q54985), 24c, 26gch (Q104), 27tch (E921), 26–27g (Q3214), 28cd, 29td (Q1561), 29gd (Q739), 28–29g (Q53), 30td (Q1778), 30cch (Q2628), 31gd (Q4502), 321, 32c (Q8537), 33tch (Q30678), 33td (1646), 33cd (Q19134), 35cg (Q42284), 35gch (Q69593), 34-35c, 36cchg, 37 (Q27488), 38tch, 38td (PST0515), 39cd (Q20883), 39gd (Q63698), 40cch (Q13618), 40gd (Q13281), 41tch (Q13603), 41g (Q13637), 45gd (Q55085), *Gassed* by John Singer Sargent 44–45g (1460), 48cd (Q60212), 48gch, 51td (Q26945), 52gch (Q9364), 53cd (Q6434), 53gd (Q9364), 54tch (2747), *Sappers at Work* by David Bomberg 56cch (2708), 57td (E(AUS)1396), 57cd (Q5935), 56–57c (Q754), 56–57g (Q2708), 58g (Q10810), 59td (Q9534), 59g (Q9586), *The Signing of Peace in the Hall of Mirrors, Versailles* by Sir William Orpen 61tch (2856), 62tch (Q2756), 62c (Q1540), 64cchu (Q30788), 64cdg (Q50671), 64gc (Q4834), 65cchg (Q10956), 65gd (Q609), 66td (Q949), 66cchu (Q54534), 66gch (Q66377), 67tch (Q7302), 67cchg (Q9631), 67gd (Q1582), 69gch (IWM 90-62-3), 70tch (Q27814), 70cd (Q26946); **David King Collection:** 46gch, 47tch, 58cchu. **Kobal Collection:** Columbia 69tch. **National Gallery Of Canada, Ottawa:** Transfer from the Canadian War Memorials, *Dazzle ships in dry dock at Liverpool, 1921* gan Edward Wadsworth 39tch. **Peter Newark's Military Pictures:** 13uc, 42td. **Pa Photos:** European Press Agency 65t. **Popperfoto:** Reuters 68gd. **Roger-Viollet:** 9tr, 9cd, llgd, 13cd, 19tch; Boyer 17gch. **Telegraph Colour Library:** J.P. Fruchet 62c. **Topham Picturepoint:** 42tch, 46tch, 47gd, 46–47g, 62g; ASAP 43cch. **Ullstein Bild:** 8–9c, 46td.

Siart: Corbis: Bettmann gd, td
Clawr: Blaen: **Dorling Kindersley:** Imperial War Museum tc, td, tch, cch, c, gc. **Getty Images:** Hulton Archive g. **Imperial War Museum:** cd. *cefn:* **Dorling Kindersley:** Imperial War Museum gch.

Gwybodaeth bellach:www.dkimages.com